scripto

Florence Cadier

Le rêve de SAM

Gallimard

Pour Francis et Rose

À Jean, Bastien, Valentine et Boris,
ma famille à tiroirs

*« Une loi ne pourra jamais obliger un homme
à m'aimer, mais il est important
qu'elle lui interdise de me lyncher. »*
Martin Luther King

Martin Luther King est une légende, une figure exemplaire de la lutte contre le racisme, pour l'intégration de l'Autre dans la société. Sujet cruellement d'actualité! Le jeune Sam est un personnage de fiction dont le chemin croise celui du pasteur. J'ai sciemment fait cohabiter personnages réels et personnages de fiction. J'ai également mêlé faits historiques et annecdotes inventées. L'essentiel étant de prendre conscience de l'importance du combat audacieux qu'a mené Martin Luther King. Aujourd'hui encore, des hommes et des femmes poursuivent cette lutte pour le respect des droits de l'homme dans certaines parties du monde. À eux, ma profonde admiration et mon véritable soutien!

Sam aurait pu exister, Sam a dû exister, Sam existe, sûrement!

Prologue – 20 avril 1955

Je me réveille très souvent en pleine nuit, trop souvent. À trois heures du matin, très précisément. Avec toujours la même vision proche de l'enfer : des flammes, des hurlements, des gémissements, des injures, la haine. À ce moment précis, je suis au milieu de la fournaise, je m'accroche à leurs pieds, je passe de l'un à l'autre en les secouant. Les flammes lèchent les croix disposées en cercle autour de leurs corps qui se balancent dans le vide, je suffoque, je n'arrive pas à crier... Puis, j'ouvre les yeux.

Quand je reprends pied dans la réalité, seule la lumière jaunâtre des réverbères me rappelle ce cauchemar. J'écoute, je guette, les joues brûlantes, mon cœur manque d'exploser. Et l'horloge du salon sonne ponctuellement ses trois coups. Je suis chez tante Rosa et oncle Albert, je ne crains rien, sauf d'être poursuivi sans fin par ces images.

Je n'en parle à personne, pas même à Josh, mon frère. J'ai simplement peur qu'avec les mots, les images ne ressurgissent ou, encore pire, que le temps bascule et me ramène trois ans en arrière, lorsque j'avais dix ans. Qui sait si ce n'est pas une chose possible ? Personne n'a de pouvoir sur les événements, la preuve, ils ne viendraient pas me visiter si souvent.

À la mort de nos parents, tante Rosa et oncle Albert nous ont recueillis mon frère et moi. Ils nous élèvent comme ils l'ont fait pour les leurs : avec fermeté et tendresse. Une fois mes cousines parties de la maison, tante Rosa pensait pouvoir s'arrêter de travailler et profiter de son petit jardin. Oncle Albert et elle se seraient débrouillés pour survivre avec un salaire d'ouvrier. Mais voilà, c'était avant, avant que nos vies dérapent dans un mauvais film d'horreur. Il faut pourtant vivre avec, chaque jour se souvenir puisque ce sont désormais des traces indélébiles. Alors, peut-être qu'écrire cette histoire videra mon âme de cette boue. Je pourrai ensuite brûler mon cahier et partir sans un regard pour ce passé.

1952 – L'année de mes dix ans

Nous habitions à Montgomery, en Alabama. Au cœur du sud des États-Unis. Le Sud des Blancs où les Noirs, descendants des esclaves arrachés d'Afrique il y a plus d'un siècle, tentent de survivre. Rien n'a changé depuis cette époque ou si peu. En tout cas, pas leurs regards d'hommes supérieurs, leur morgue, leur haine.

Mon père et ma mère travaillaient dans une ferme. À quelques kilomètres de la ville. Lui était ouvrier agricole, et elle cuisinière chez de riches fermiers. On était plutôt heureux et nos parents nous apprenaient à être fiers de notre couleur.

– Sam, tu es aussi noir que l'ébène, disait mon père. Tu sais, c'est un bois précieux, rude et si solide! Un bois qui ne plie pas.

– Ne baisse jamais les yeux, continuait ma mère.

Le Seigneur nous a voulus ainsi et Il est content de nous. Tu as entendu le sermon, l'autre jour à l'église?

– Ouaip, mais j'ai pas tout compris.

– Bien sûr, tu n'écoutes pas, tu ne penses qu'à courir dans les champs!

C'est vrai que je préférais galoper dans les champs. Me faufiler entre les épis blonds, les sentir craquer sous mes pieds et croquer quelques grains tout chauds de soleil me donnait alors l'impression que le monde était sûrement aussi beau que ce tapis de blé. J'étais prêt à recevoir les douceurs de la vie que j'étais en droit d'attendre. Avec Jack, le fils du fermier, et Josh, on s'enivrait de liberté jusqu'à l'heure du repas.

Un jour, Jack ne vint pas à notre rendez-vous habituel. Celui du samedi après-midi, juste après avoir aidé notre mère à faire la vaisselle. On l'attendit une heure puis on partit se perdre dans le pré, sans entrain. Ce n'était pas pareil à deux. Il n'est plus jamais repassé nous voir et quand on le croisa, quelques jours plus tard, il tourna la tête. J'avais compris, je commençais à percevoir cruellement ce qu'était notre condition d'enfants noirs. Josh, encore petit, me questionnait:

– Sam, pourquoi Jack ne nous parle plus?

– Parce qu'on est noirs et que ses parents ont dû

lui interdire de jouer avec des traîne-savates, des Négros.

– Noirs ? Bien sûr, ça fait longtemps qu'on l'est ! Ils ne l'ont jamais remarqué avant ?

– Si, mais peut-être qu'on est trop grands maintenant.

– Trop grands pour jouer ?

– Nan, trop grands pour jouer avec des Blancs.

Josh ne voulut jamais comprendre avant ce dimanche où l'on croisa Jack.

– Salut Jack ! Pourquoi tu viens plus jouer ? demanda-t-il.

– ...

– Hé dis, tu pourrais répondre quand même. Tiens, regarde, j'ai trouvé des têtards dans la mare.

– Pousse-toi, sale Nègre, répondit Jack. Pousse-toi de mon chemin, tu me gênes et tu pues.

Je serrai un poing sous son nez, il frôla sa bouche, puis je donnai un grand coup de pied dans le vide.

– Qu'est-ce que t'as, face de singe, tu veux te battre ?

Je pris le bras de Josh. Il tremblait et je vis sa lèvre faire la moue comme lorsqu'il a envie de pleurer. Je regardai longuement Jack, cherchant une expression familière qui m'aiderait à lui pardonner l'attitude que ses parents avaient dû lui souffler. Il regarda ailleurs.

– Un jour, je te retrouverai, lui assénai-je.

Et nous sommes partis en traînant les pieds, le cœur lourd des pierres de sa haine. Je ne me doutais pas alors que cet événement allait changer ma vie.

Je ne voulais rien dire à nos parents, mais Josh ne put s'empêcher de sangloter dans les bras de maman. Papa se mura dans un long silence, les traits durcis de colère et d'aigreur. Puis, il se leva, soudain résolu.

– Je vous interdis désormais de lui adresser la parole. Quant à moi, je ne vous laisserai plus jamais vous faire insulter.

– Je t'en prie, Mat, ne dis rien, le supplia maman.

– Oh, ne t'inquiète pas, je n'irai pas voir les patrons. Non, je vais m'exprimer autrement.

C'est ce jour-là que notre père décida de s'inscrire sur les listes électorales. Cela paraît simple et anodin mais, dans le sud des États-Unis, en 1952, même si la constitution nous donnait le droit de voter, les Blancs bien-pensants de ces États faisaient tout pour nous en empêcher. J'eus peur, très peur, car je savais qu'il lui faudrait lutter pour y arriver. L'ombre du pouvoir obscur et sanglant du

Ku Klux Klan* planait sur nos vies. Certaines nuits, on les voyait passer en camionnette, cagoulés de blanc, l'arme à la main, allant exécuter de sombres vengeances sur des Noirs qui avaient transgressé leurs lois, ces lois arbitraires qu'ils avaient mises en place. *Separate but equal*, cette phrase avait cours dans le Sud depuis la fin du XIXe siècle, confirmée par la Cour suprême des États-Unis. Les États sudistes se donnaient le droit de refuser d'intégrer les Noirs dans leur société et de faire justice eux-mêmes.

Généralement, personne n'entendait plus parler des victimes. Les Noirs se taisaient et retournaient travailler en tentant d'oublier ces expéditions punitives. Mais les disparus hantaient nos mémoires.

Malgré tout, j'étais fier que mon père relève la tête.

Le lendemain, en allant à l'école, j'observai autour de moi. Jusqu'à présent, je n'avais pas spécialement remarqué toutes ces pancartes arrogantes placardées sur les fontaines, les toilettes, les restaurants, les bancs, à ces mots qui nous interdisaient ou nous ordonnaient de ne pas nous mélanger aux

---

* Ku Klux Klan : société secrète américaine, fondée après la guerre de Sécession, réunissant des Blancs qui prônent une idéologie raciste et refusent l'intégration des Noirs.

Blancs. C'était notre quotidien, ce que j'avais appris à lire et à respecter depuis mon plus jeune âge.

J'eus soudain l'étrange sensation d'être un paria dans ma propre ville, marqué par ma couleur de peau. La candeur de l'enfance m'avait jusqu'alors protégé de cette prise de conscience. J'espérais de tout cœur que mon père parvienne à s'inscrire sur les listes électorales. Naïvement, je pensais que le monde pouvait évoluer.

Ce soir-là, je l'interrogeai :

– Ça y est, t'es inscrit ?

– Non, le bureau était fermé.

– Fermé ? Tu es arrivé en retard ?

– Fermé à quatorze heures trente, ou fermé le matin, n'importe, c'est fermé tout le temps pour les Noirs !

– Comment tu vas faire ?

– Continuer ! Y aller tous les jours. Ils ne peuvent pas refuser, c'est la loi !

C'est ce qu'il fit. Le plus souvent accompagné de ma mère, ils campaient des heures devant le service administratif de la mairie et patientaient en silence, attendant qu'un employé veuille bien leur demander la raison de leur venue. Inlassablement, ils répondaient la même chose :

– Nous sommes là pour nous inscrire sur les listes électorales !

Mais le préposé trouvait toujours une excuse : papiers perdus, extrait d'acte de naissance trop vieux, adresse du domicile incorrecte, trop tôt, trop tard. Mon père restait imperturbable.

– Mais enfin, Négro, puisque je te dis que c'est pas possible.

L'employé s'énervait, mon père souriait.

– C'est mon droit, c'est dans la constitution.

– Constitution, mon œil, c'est pas dans les lois de notre État ! Prouve déjà que ton grand-père n'était pas un esclave ! Pour nous, c'est une des conditions. Impossible, hein ? Alors, tu veux vraiment des ennuis ?

Ils arrivèrent vite : des menaces de mort placardées sur notre porte, les pneus de la voiture crevés, notre chien Tobby empoisonné ! Mais mon père ne cédait pas. Il pensait que les Blancs finiraient par se laisser faire, lassés par son opiniâtreté. Cela a été son seul tort !

Je ne pourrai jamais oublier cette nuit. Nous étions sur la véranda, il faisait doux. Ma mère fredonnait des negro spirituals et mon père l'écoutait. À son chant se mêlait en écho celui des crapauds, plus éraillé et tenace. Mon frère et moi avions entamé une partie d'osselets. C'est à ce moment-là que plusieurs camionnettes passèrent à vive allure, défonçant le chemin de terre, puis revenant en marche arrière pour nous défier. À l'arrière du pick-up, des croix menaçantes bringuebalaient. Quelques cris explosèrent non loin de nous :

– Sale Négro ! On aura ta peau !

– Compte tes heures, y en a plus beaucoup !

Ma mère lui conseilla d'appeler la police.

– Tu rigoles ! Parmi cette bande de cinglés, je crois bien qu'il y a le chef du district. T'inquiète pas, c'est de l'intimidation ! Qu'avons-nous à nous reprocher ?

Ma mère nous mit au lit plus tôt que d'habitude. Mon frère s'endormit rapidement mais je restai à l'affût derrière les rideaux. Chaque hululement de chouette me faisait sursauter, je savais que c'était leur cri de ralliement. Mes parents se couchèrent rapidement, fermant avec précaution les volets et les portes. Je les entendais chuchoter puis ma mère pleura, à sa manière, tout doucement, seuls ses reniflements perçaient la cloison de nos deux chambres. Cela dut être leur dernier instant de tendresse. J'imagine que mon père avait pris ma mère dans ses bras pour la consoler.

Malgré mon angoisse, je finis par m'endormir. Des coups violents frappés sur la porte d'entrée me réveillèrent. Puis une cavalcade de godillots dans notre escalier branlant, les cris perçants de ma mère, une phrase de mon père :

– Laissez-la, c'est moi le seul responsable.

Des ricanements, des insultes, des bousculades, des corps que l'on traîne. J'étais pétrifié et n'osais réveiller Josh. Je me glissai jusqu'à la fenêtre. Les croix disposées en cercle brûlaient, le bois gémissait et, au milieu de cet enfer, deux gibets se dressaient. Mes parents furent traînés au milieu de la fournaise, la chemise de nuit de ma mère ne recouvrait plus ses jambes. Pour la première fois, j'entrevis ses cuisses et j'eus un haut-le-cœur, connaissant sa pudeur. Maman, dans un sursaut d'énergie, se mit à genoux et pria. Des hommes cagoulés rossaient mon père qui se débattait.

Le nœud coulant se resserrait sur leurs gorges. L'étau du diable. Ma mère s'évanouit, j'en fus presque soulagé. À bout de bras, ils la maintinrent debout puis deux d'entre eux tirèrent sur la corde. Mon père eut alors un regard vers notre fenêtre et m'aperçut derrière le volet. Dans un mouvement de paupières, nous nous sommes dit adieu. Quand ils les hissèrent, je tombai à genoux et cachai ma tête dans mes mains. Lorsque, dans un dernier espoir, je regardai par la fenêtre, leurs corps se balançaient doucement, dans un ultime sursaut de vie.

Les hommes s'éloignèrent rapidement. J'attendis que leurs voitures démarrent pour descendre. J'avais si peur moi aussi de mourir.

Je bravai ma terreur et tentai vainement de les soulever, m'accrochant à leurs jambes, sautant pour essayer d'atteindre le nœud de la corde. Les flammes léchaient leurs vêtements et je ne pus rester plus longtemps dans le brasier.

En me retournant, j'aperçus Josh, assis dans le fauteuil de notre père, sa bouche s'arrondissant sur un cri tragiquement muet. Au loin, l'église sonnait trois heures. Avec le son sourd des cloches s'envolaient les derniers instants de mon enfance.

1955 – L'année de mes treize ans

Le jour de mes treize ans, je me suis senti aussi vieux qu'un homme de vingt-cinq ans. J'avais appris que la vie n'était pas tendre et que je portais un handicap jusqu'à la fin de mes jours : ma couleur de peau. Josh aussi n'était plus le même : il avait perdu les rondeurs de l'enfance, l'innocence de petit garçon. Il ne posait plus de questions puériles. D'ailleurs, il ne posait plus aucune question. Nous connaissions la méfiance et la peur. J'avais appris la révolte. Comme mon père, je refusais de baisser les bras.

Depuis que nous habitions en ville, Josh et moi, l'espace et les grandes courses dans les champs nous manquaient. Nous avions pris l'habitude de nous défouler en courant derrière un ballon dans les grandes allées d'un parc. Une fin d'après-midi, à la sortie de l'école, nous allâmes traîner dans ce jardin public. Je ne vis pas la pierre et glissai bêtement dessus. Ma cheville doubla de volume en deux minutes.

– Assieds-toi, proposa Josh. Tiens, là-bas, il y a un banc !

Il était loin ce banc. Avec sa pancarte méprisante, fichée sur un arbre.

« Pour les Noirs, exclusivement. » Je secouai la tête.

– Non, j'ai trop mal, j'peux pas y aller.

Et je m'assis sur celui des Blancs, planté à quelques mètres de moi.

– T'es malade, me dit Josh, si quelqu'un te voit !

– M'en fous, j'peux pas marcher. Et puis même, j'vais pas leur salir ce banc.

– Enfin… t'as pas le droit !

– Pas le droit d'avoir mal et de me reposer ! M'en fiche, je suis là, je reste !

J'aurais pu claudiquer jusque là-bas, c'est sûr. Mais leurs lois débiles, je voulais les braver, en prouver leur stupidité. Deux minutes plus tard, un gardien m'accostait. Il n'avait pas tardé à venir. Un Blanc, au loin, m'avait remarqué et dénoncé.

– Fous le camp, sale Nègre. C'est pas pour ton sale derrière !

– J'peux pas marcher, répondis-je en baissant les yeux.

– Tu vas filer, oui, macaque!

Je lui montrai ma cheville qui prenait une teinte violette.

– Bien fait! Et tu mérites en plus une bonne raclée.

Il voulut me soulever, mais je résistai. Je tins fermement le banc et pesai de tout mon corps dessus. La police mit très peu de temps à m'emmener au commissariat, vingt-quatre heures sous les verrous. Entre un homme qui avait été arrêté pour conduite en état d'ivresse et une femme qui avait volé quelques fruits à l'étalage. En quelques mots, je leur racontai mon histoire qu'ils écoutèrent d'une oreille distraite.

– Quel monde de chiens! dirent-ils pour me consoler. Y mettent même des enfants en prison.

Tante Rosa dut payer une caution de vingt dollars. Puis elle me sermonna devant les policiers. Mais ses yeux riaient malicieusement tandis qu'elle me houspillait.

Elle raconta mon exploit à toutes ses voisines. Elles hochaient la tête et gloussaient de bonheur.

– Et je lui ai dit devant le chef: « Sam, tu dois respecter les Blancs. Ils font tant pour nous! Et toi, regarde comment tu les remercies! En leur donnant de gros soucis! » Et cet imbécile m'a répondu: « Bravo, madame Parks, vous êtes une bonne citoyenne. » Ha! Ha! Il n'a même pas remarqué que je me moquais de lui!

J'ai toujours admiré tante Rosa. Quand nos parents sont morts, elle a été voir le patron du magasin où elle était couturière et a demandé à faire des heures supplémentaires. « Pour les élever correctement », lui a-t-elle expliqué. Certains soirs, elle sortait donc plus tard de son travail et je lui faisais la surprise de l'attendre pour lui tenir compagnie pendant le trajet en bus jusqu'à la maison, dans les faubourgs de la ville.

Ce jour-là, jeudi 1er décembre, tante Rosa me demanda de venir la chercher. Nous devions aller acheter un sapin de Noël dans notre quartier et j'étais fier qu'elle souhaite que je l'aide. À treize ans, je commençais à prendre de l'assurance et mon corps s'étoffait.

Tante Rosa était fatiguée et nous attendions le car dans une foule compacte en nous racontant les potins de la journée.

– Pfff, pourvu qu'il y ait des places assises!

Enfin, il arriva, poussif, crachant une mauvaise fumée noire. Les sièges à l'avant réservés aux Blancs étaient pleins et à l'arrière, ceux qui étaient destinés aux Noirs aussi. Seules quelques places se trouvaient libres au milieu du bus, marquant ainsi une séparation évidente. Je connaissais la loi : nous autres avions éventuellement le droit de nous y asseoir mais les Blancs gardaient la priorité. S'il n'y avait plus de sièges disponibles pour eux, c'était à nous de nous lever.

Nous nous affalâmes sur une rangée où trois hommes noirs avaient déjà trouvé place. À l'arrêt suivant, trois autres personnes montèrent. Blanches. Comme ils en avaient l'habitude, ils nous firent signe de leur laisser la place.

Je me levai. Ainsi, tante Rosa pouvait rester assise.

– Pousse-toi, sale Négresse, je supporte pas ton odeur ! lui dirent-ils.

– T'as entendu ce qu'il a dit, mon copain, ta vue nous dérange. Allez, ouste, debout !

– Messieurs, je suis très fatiguée, j'ai payé mon ticket comme vous et comme il y a assez de place pour tout le monde, je ne bougerai pas, répondit ma tante.

– Tu vas te lever, espèce d'ânesse, ou j'te prends par la peau du cou comme une volaille.

– Asseyez-vous donc, vous ne me gênez pas mais, moi, je reste là, je suis bien.

Je mis la main sur l'épaule de tante Rosa et la serrai pour qu'elle comprenne que j'étais prêt à intervenir. Elle tapota mes doigts, rassurante. Un des hommes se méfia.

– Il a peur pour sa vieille bique, le jeune poulet? Hein, c'est ça! Lui aussi, il veut qu'on lui torde le cou?

Il posa sur mon visage une paume flasque comme une méduse. Je levai mon regard vers lui, un grand jet de colère et de haine. Si j'avais pu lui casser le nez! Tante Rosa intervint:

– Ah, le p'tit gars derrière? Laissez-le donc, c'est mon neveu. Il n'est pas méchant, il est sourd et muet.

J'étais stupéfait. Elle ne manquait pas de repartie, ma petite tante. Elle m'envoyait un message clair: « Tiens-toi à carreau et laisse-moi faire. » Je n'avais qu'une envie, intervenir, défendre celle qui remplaçait ma mère. Avant même d'esquisser un geste, le chauffeur de bus était debout devant ma tante, l'empoignait par le col de son manteau et la secouait comme un prunier.

– Debout, c'est la dernière fois qu'on te le demande! Sinon, je te fais arrêter!

– Eh bien, faites-le! Mais pour quelle raison? Il y a de la place pour tout le monde dans cet autocar!

Je crus que le conducteur allait s'étrangler de fureur. Il bredouilla quelques injures et se jeta hors du bus. Tante Rosa me bluffait. Cette petite femme ratatinée par le travail brandissait son courage sans se dérober.

Dans le bus, un silence tomba. Les regards étaient rivés sur tante Rosa. Regards appuyés d'admiration, de peur ou de condamnation. Qu'allait-il se passer ? Qu'avait provoqué ma tante ?

Un policier, un peu las, l'apostropha sans rudesse :

– Pourquoi ne pas vous lever ?

– Suis-je vraiment obligée ? demanda-t-elle. Tous les Blancs sont assis ! Et d'ailleurs, pourquoi êtes-vous si sévères avec nous ?

Un policier maugréa :

– Je n'en sais rien. Mais c'est la loi et vous êtes en état d'arrestation.

Nous fûmes emmenés tous deux au commissariat, je ne voulus pas la quitter. Et il fallut encore payer une caution pour être libérés : vingt dollars chacun. La tête de mon oncle quand il vint nous chercher ! Il n'aurait jamais pensé retrouver sa femme au poste de police. Tante Rosa fit un retour triomphal : tous les gens du quartier la félicitèrent d'avoir tenu tête à la bêtise. Ils avaient eu vent de l'affaire bien avant notre sortie du commissariat.

Cette histoire déclencha une chose extraordinaire. Une sorte de miracle. Dès le lendemain, une association de défense des Noirs de Montgomery fonda le Comité de défense de Rosa Parks. Pour la soutenir lors de son procès qui devait avoir lieu le lundi. Le soir même, un homme frappa à la porte. Oncle Albert ouvrit, méfiant. Il dépassait d'une bonne tête le visiteur. Dans la pénombre du vestibule, je ne le vis pas immédiatement. Une voix claire et posée s'éleva :

– Bonjour, je suis Martin Luther King, le pasteur de l'avenue Dexter et désormais président de l'association Rosa Parks. Je ne vous dérange pas au moins ?

La stupéfaction dut se lire sur nos visages. Tante Rosa nous avait souvent parlé de ses longs prêches qui soulevaient chez les fidèles un immense enthousiasme. Elle rentrait à la maison, transportée par ce qu'elle avait entendu. J'avais alors imaginé cet homme dominant la foule du haut de la tribune, une sorte de thaumaturge puissant qui, par ses paroles et ses gestes, devait envoûter ses paroissiens !

Il n'en était rien ! Son sourire franc et son regard bienveillant tranchaient avec l'austérité de son costume sombre. Oncle Albert s'effaça devant lui et tante Rosa, sur un geste de la main, lui offrit un fauteuil. Elle d'habitude si diserte ! Il lui avait coupé le sifflet.

– Je ne veux pas troubler votre soirée, commença-t-il.

– Non, au contraire, vous nous faites une faveur de nous rendre visite.

– J'aime tellement vos sermons, répondit tante Rosa, tout à trac. Mais en quoi peut-on vous aider?

Discrètement assis dans un coin du salon, je l'observais sans pouvoir détacher mes yeux de son visage: j'étais fasciné par la vivacité de ses traits, la lueur intense de ses prunelles. La force qu'il dégageait m'a marqué à jamais. Je pressentais que nos routes se croiseraient à nouveau.

Avec patience, il demanda à tante Rosa de lui raconter son arrestation, la félicitant d'avoir montré autant de sang-froid et de sagesse face à la violence des Blancs.

– Nous allons nous servir de votre mésaventure pour leur répondre. Vous ne le savez peut-être pas, mais la NAACP* recherche depuis longtemps un prétexte pour lancer une action qui ébranle l'opinion publique. Et la façon dont vous avez réagi ne peut pas être critiquée. Vous vous êtes comportée exactement comme il le fallait. Sans violence. Donc, voilà ce que nous avons décidé...

Juste avant de quitter la maison, assez tard dans la soirée, il nous raconta une histoire qu'il n'avait jamais oubliée. Je n'en perdis pas une miette.

———

*NAACP: National Association for the Advancement of Colored People (Association nationale pour le progrès des gens de couleur, créée en 1909).

– Il y a des années de cela, j'ai vécu la même humiliation que vous. J'étais encore un jeune élève et je rentrais d'un concours organisé par un autre lycée que le mien. Mon exposé sur « L'homme noir et la constitution » m'avait valu un prix. Dans le bus de retour, avec le professeur qui m'accompagnait, nous débattions encore du sujet sans prêter attention à ce qui nous entourait. J'étais tellement fier de ma prestation ! L'autocar se remplissait petit à petit et, assez vite, il n'y eut plus de places assises. Deux Blancs montèrent et le chauffeur nous ordonna de nous lever. Ma première réaction fut de refuser, mais je me fis copieusement insulter : « Espèce de bâtard ! Souillure de la planète ! » Je m'en souviens encore. J'étais prêt à répondre par un coup de poing, je voulais les réduire en bouillie. Mon professeur m'a calmé et nous avons dû laisser nos sièges. Je lui en ai longtemps voulu d'avoir cédé.

Il souriait à ses souvenirs.

– Comme vous voyez, nos histoires se répètent. Rien d'original, ce sont les mêmes que celles de tant d'autres Noirs !

Puis, il se tourna vers moi.

– Tu sais, je devais être à peine plus âgé que toi.

Au moment de lui dire au revoir, je lui glissai :

– Dimanche, je viendrai vous écouter.

Il me pinça affectueusement la joue.

– À très bientôt, donc!

Le dimanche suivant, tous les pasteurs noirs de la ville lancèrent un appel retentissant depuis leur chaire. Je buvais les paroles de notre pasteur:

– Jeudi, une femme de notre communauté et son neveu ont été en prison pour avoir refusé de se lever dans un bus alors qu'il y avait encore des places libres pour les Blancs. Et pourtant, ils avaient payé leurs tickets comme tout le monde, comme chaque fois. Aussi, nous vous demandons à tous, demain, de ne pas monter dans les autobus de la ville. Parlez-en à ceux qui ne sont pas là pour que le mouvement soit largement suivi. Allons à pied ou en voiture, en taxi, mais affirmons que nous n'acceptons plus d'être rabaissés. N'oublions pas que les lois sont les mêmes pour les Noirs et les Blancs.

Les églises bruissèrent de joie, la foule des fidèles applaudit. Tous étaient d'accord pour suivre la requête des pasteurs. Des negro spirituals enflammèrent le cœur des Noirs de Montgomery et ceux qui n'étaient pas présents entendirent très vite parler de cette action de solidarité.

– Oui, boycottons les bus, clamaient les pasteurs soutenus par la ferveur de la population. Et n'oubliez pas de venir à la grande réunion de lundi, nous vous donnerons d'autres instructions.

Tante Rosa n'en revenait pas. Ainsi, par son seul refus, elle avait déclenché un mouvement populaire.

Avec Josh, nous sautions de joie.

– Vivement lundi, je suis prêt à faire des kilomètres à pied, claironnait-il.

Dans chaque maison du quartier noir de Montgomery, la même excitation, le même espoir réjouissait les âmes jusqu'alors désolées de notre communauté. Ils devaient être fiers de nous, nos ancêtres ! Nous osions dire non.

Et toujours le même nom porteur d'espérance s'infiltrait dans nos conversations : Luther King.

Décembre 1955 / 1956 – L'année de mes quatorze ans

Je fis sonner mon réveil à six heures du matin. Quand je descendis à la cuisine, tante Rosa et oncle Albert étaient déjà postés derrière la fenêtre.

– Regarde, Sam, il n'y a pas un Noir dans le bus. Ils vont tous travailler à pied. Oh, il y en a même un qui fait signe au conducteur de continuer sans lui!

Dans la rue, quelques silhouettes emmitouflées se hâtaient, faisant fièrement le signe de la victoire à chaque passage d'autobus. Les chauffeurs leur répondaient par un geste désinvolte.

C'était une journée particulière. Le boycott avait démarré, largement suivi par la plupart d'entre nous. Des taxis conduits par les Noirs sillonnaient la ville: ils avaient baissé leur prix à celui d'un ticket de bus. Ceux qui possédaient une voiture emmenaient leurs amis au travail. Oncle

Albert était monté avec George, venu exprès de l'autre bout de la ville pour lui éviter une heure de marche.

Josh et moi, nous nous étions armés de courage. Trois kilomètres nous séparaient de notre collège. Un collège pour Noirs, avec des professeurs noirs, dans lequel nous étions obligés d'étudier puisque celui qui était à trois pâtés de maisons nous était interdit. En route, nous rencontrâmes d'autres jeunes, hilares, portés par le mouvement dont nous ne mesurions pas encore l'importance. Je reconnus de loin Lili, une jeune fille de mon école. Elle habitait dans le quartier et je la voyais souvent bavarder avec des jeunes gens plus âgés que moi. Persuadé qu'elle allait me prendre pour un môme, je n'avais jamais osé l'aborder. En fait, je craignais qu'elle ne m'accorde même pas un regard. Elle m'intimidait beaucoup. Avec ses copines, elles se tenaient par le bras, formant comme une farandole. En me dépassant, Lili m'attrapa par le coude.

– Viens avec nous, Sam, nous allons leur montrer que, nous, les collégiens, nous n'avons peur de rien.

– Mais… Mais tu connais mon prénom ?

Lili éclata d'un rire farceur, faisant valser ses multiples petites nattes perlées de toutes les couleurs.

– Tout le monde sait que tu es le neveu de Rosa Parks! Allez, suis-nous. Josh, décide-le.

Il lui prit immédiatement la main et lui emboîta le pas. Lili me tira par la manche et je ne la quittai plus jusqu'à l'école, l'étourdissant de commentaires sur le spectacle de la rue pour qu'elle ne s'aperçoive pas de mon trouble.

– À ce soir, me dit-elle en entrant dans la cour.

En classe, cela fut difficile de se concentrer. À chaque cours, les professeurs nous demandaient si nous avions pris un bus.

– Non! criaient les élèves. Nous sommes venus à pied, comme tout le monde.

Et les questions fusaient:

– Est-ce que cela va continuer?

– À votre avis, comment les Blancs vont-ils réagir?

– Mais que s'est-il passé exactement?

Nous n'avons pas eu cours, les enseignants préféraient discuter avec nous, expliquant pourquoi il était nécessaire de rester unis. Nous avions du mal à comprendre l'importance du mouvement, mais nous prenions conscience qu'une immense solidarité pour une même cause réunissait tous les Noirs de Montgomery.

Ce soir-là, nous rentrâmes à pied chez nous. J'osai approcher Lili.

– Rentrons ensemble, c'est plus prudent, lui expliquai-je. On ne sait pas ce qui peut se passer si tu es toute seule dans la rue.

Josh applaudissait à chaque passage de bus. Seuls quelques Blancs, le regard fuyant, étaient assis à l'avant des véhicules. L'arrière était vide des habituels passagers noirs.

– Allez vite vous préparer, nous dit tante Rosa en nous accueillant, nous allons au meeting présidé par Martin Luther King. Vous ferez vos devoirs plus tard, cela attendra. Quand je pense qu'il nous a rendu visite ! Quelle histoire !

– Allons-nous continuer ?

– Moi, en tout cas, je ne prendrai pas le bus demain, déclara Josh. Je suis sûr qu'aujourd'hui est un des plus beaux jours de ma vie.

Tante Rosa lui caressa la tête. Elle avait un air malicieux, des éclats de bonheur dans les yeux.

– Je pense que oui, nous sommes prêts à lutter, à nous faire entendre. Figurez-vous que tout à l'heure, lors de mon procès, des centaines de personnes sont venues me soutenir à l'entrée du tribunal. Jamais vu ça ! Maintenant, je crois que les Noirs vont réagir.

Nous arrivâmes une heure à l'avance, nous coulant dans une foule déjà compacte dans l'église de Holt Street. À chaque pas, nous reconnaissions des voisins, des commerçants de notre quartier, des amis. Lili se faufila jusqu'à moi.

– Ah, tu es là! Avec tout ce monde, j'avais peur de ne pas te retrouver.

Elle glissa sa main dans la mienne. Je surpris le regard de Josh et je cachai nos deux poings dans la poche de ma veste. Je serrai ses doigts au rythme des pulsations désordonnées de mon cœur.

Il n'y avait pas assez de place, les bancs étaient tous occupés, les allées regorgeaient de monde et de nombreuses personnes étaient restées dehors, dans la rue. Des haut-parleurs avaient été installés pour que la réunion puisse être entendue de tous.

Quand Martin Luther King monta en chaire, son regard pénétrant se posa sur la foule. Son large sourire éclatait, nous remerciant d'être venus si nombreux. Une pluie d'applaudissements résonna dans l'église.

– Nous sommes ici ce soir pour décider collectivement de la suite à donner à notre mouvement d'aujourd'hui. Nous ne pouvons plus désormais accepter d'être traités sans respect, d'être continuellement humiliés. Nos droits sont bafoués quotidiennement et, pourtant, nous sommes des citoyens américains, des citoyens d'un pays démocrate. Je vous demande de faire taire votre haine, vos rancœurs et d'opposer aux Blancs le principe de la justice raciale, du courage et de l'amour. Soyons tous solidaires, marchons main dans la main car nous avons raison de faire ce que nous faisons.

Sa voix claire tonnait entre les murs. La foule hurla de joie. Une vague d'acclamations secoua l'église. Dans la rue, les gens se bousculaient pour tenter d'apercevoir l'orateur.

– Je propose donc, continua-t-il, de poursuivre le boycott tant que les élus n'auront pas accepté les trois revendications suivantes. Nous demandons que les Noirs soient traités avec politesse par les conducteurs d'autobus, nous demandons aussi que les passagers puissent s'asseoir par ordre d'arri-vée et nous réclamons enfin que la compagnie accepte d'engager des conducteurs noirs puisque la majorité des usagers le sont. Nous avons, pour continuer dans la légalité, créé une organisation, la MIA*, dont je suis fier d'être le président. Et maintenant, je vous prie de bien vouloir voter.

La poursuite du boycott fut décidée à l'unani-mité. La foule approuva bruyamment les paroles de Martin Luther King et les personnes s'organisè-rent entre elles pour les trajets, chacun étant

---

* MIA : Montgomery Improvement Association (Association pour la promotion des Noirs de Montgomery).

décidé à aller jusqu'au bout et à faire céder la municipalité.

J'étais galvanisé par la puissance du discours du pasteur. Ses paroles venaient en écho à ce que j'espérais : notre communauté ne baisserait plus la tête, nous allions affronter l'injustice. Mais je me demandais comment arriver à éprouver de l'amour pour ceux qui avaient tué mes parents. Du courage, j'en avais à revendre, autant même que de la haine.

Les jours de pluie, le père d'un de nos amis nous emmenait en voiture au collège. Le patron de tante Rosa dépêchait un collègue pour qu'elle ne soit pas en retard au magasin. Notre voisine, domestique dans les beaux quartiers blancs de Montgomery, était conduite tous les jours dans une belle limousine. Sa patronne ne voulait surtout pas qu'elle lui fasse défaut.

– Tu vois, Josh, même les Blancs nous aident. C'est un comble ! se moquait oncle Albert.

– Ce n'est pas pour nous rendre service, soulignait-il, mais parce que cela les arrange.

– Sûrement, n'empêche qu'ils nous soutiennent indirectement, sans s'en rendre compte. Ils sont tellement égoïstes qu'ils ne pensent qu'à leur bien-être.

Le boycott était reconduit régulièrement, mais les autorités locales ne cédaient pas. Un des élus, avait rapporté son jardinier, s'était moqué de nous :

– Bah, vous allez vite vous lasser de marcher sous les pluies d'hiver. Ne nous faites pas croire que vous êtes courageux. Au moindre problème, il n'y a plus personne. Vous ne pouvez pas vous passer de nos conseils puisque vous n'avez pas encore appris à penser par vous-mêmes.

Josh fut apostrophé par un groupe de jeunes lycéens venus provoquer les élèves à la sortie du collège.

– Tout ce que vous allez gagner, c'est d'user vos chaussures !

– Et vous n'avez pas un sou pour en acheter d'autres.

– Vous ne risquez pas d'user votre cervelle car, pour cela, il faudrait en avoir une !

– Le prochain que je vois monter dans un bus, je lui éclate la tête. Cela vous apprendra à nous narguer.

Un des garçons le bouscula, le faisant tomber. Josh, sans hésiter, fonça dans le tas, distribua des coups de poing et cassa le nez de l'un d'entre eux. La police le garda deux jours en cellule, se servant de ce coup d'éclat pour démontrer que les Noirs étaient violents et rustres. Le journal local s'empara de la nouvelle pour clamer que le mouvement allait se terminer dans un bain de sang, par notre faute. Je crus que tante Rosa allait gifler Josh quand il rentra à la maison. D'une voix rageuse, elle cingla :

– Je t'interdis désormais d'user de tes poings pour régler tes problèmes. Ce n'est pas ce que je t'ai appris et, si tu as bien écouté au temple la dernière fois, ce n'est pas non plus ce que conseille notre pasteur. Tu as une langue, un esprit, utilise-les.

Longtemps, pendant la nuit, j'entendis mon jeune frère pleurer. Il gémissait dans un demi-sommeil :

– Papa, maman, aidez-moi !

Je craignis, un moment, qu'il ne se replie à nouveau sur lui-même, lui qui, depuis quelques semaines, avait retrouvé un peu de son sourire d'avant. Mais les mots de tante Rosa avaient sonné juste et Josh se réveilla plein d'énergie.

Au fil des jours, la compagnie de bus rencontra de gros problèmes. La direction avait peur de ne plus pouvoir payer les conducteurs, l'essence et l'entretien des véhicules. Mais aucune des deux parties n'abdiquait. La nouvelle année commença dans une ferveur inhabituelle. Dans nos quartiers noirs, on ne parlait plus que du boycott et Martin Luther King prenait la parole pour nous pousser à nous battre pacifiquement, sans céder à la violence. Dans l'église, du haut de sa chaire, devant des centaines de personnes attentives et enthousiasmées, son regard semblait se poser sur chacun d'entre nous. Ses paroles imprégnaient mon âme sans que j'en comprenne toutes les subtilités. Mais certains mots devenaient familiers comme « lutte non violente », « respect », « égalité ».

Dès le mois de janvier, le maire de Montgomery prit des mesures sévères pour tenter d'enrayer le mouvement. Les employeurs eurent désormais l'interdiction d'aller chercher leurs salariés. Tante Rosa décida d'aller travailler à pied et renonça à faire des heures supplémentaires. Les policiers sillonnaient le quartier, à la recherche des groupes d'hommes et de femmes qui attendaient les taxis collectifs. Ils frappaient à coups de matraque pour disperser les gens. Oncle Albert nous demanda alors d'être prudents :

– Ne vous mêlez à aucun groupe, rentrez ensemble et, si des policiers vous menacent, courez le plus vite possible pour vous cacher !

Jour après jour, la peur s'installait insidieusement dans notre communauté. Les avertissements, les intimidations devenaient de plus en plus fréquents. Le Ku Klux Klan grondait et des pick-up chargés d'hommes en colère provoquaient la panique dans les rues. Des vitrines de magasin volaient en éclats, quelques chauffeurs de taxi furent tabassés et menacés de mort s'ils continuaient à nous transporter. Face à ce déferlement d'agressivité, nous évitions toute confrontation. Nous détournions soigneusement notre regard quand les Blancs crachaient sur notre passage. Le mouvement perdait peu à peu de sa confiance.

En sortant de cours, j'attrapais au vol les commentaires de quelques bigotes du quartier. C'est là que j'appris la nouvelle et, sans réfléchir, j'emmenai Josh avec moi. Tant pis si tante Rosa devait s'inquiéter. Je voulais savoir. Nous n'étions pas les seuls à nous précipiter vers la prison. Là-bas des informations imprécises circulaient :

– Il paraît qu'il a été blessé par des policiers et qu'ils vont le transporter à l'hôpital !

– Non, c'est sa femme, elle était en voiture avec lui.

– Impossible, j'ai vu Coretta King tout à l'heure.

– Mais qu'est-ce qu'il s'est passé exactement ?

Une seule évidence : Martin Luther King était en prison. Quand nous arrivâmes, une houle de rage électrisait les Noirs rassemblés devant la maison d'arrêt. Je saisis au passage des bribes de mots et les répétai avec passion :

– Libérez-le !

– Ça suffit, laissez-nous tranquilles.

– Cédez ou vous le regretterez !

– À mort les Blancs !

Je manquai de perdre Josh tant les ondulations de la foule nous portaient, tantôt en avant, tantôt en arrière. Un voisin lança que personne ne partirait tant qu'il ne serait pas libéré. De toute manière, il était impossible de sortir de cette marée humaine. Une colère sourde se propageait de groupe en groupe. Enivrés par ce concert de cris inflexibles, nous restâmes jusqu'à ce que Martin Luther King apparaisse sur les marches de la prison. Une ovation de victoire monta de la foule. Il nous sourit.

– Tout va bien, vous pouvez rentrer chez vous. Je suis libre.

En rentrant à la maison, je ne pus m'empêcher de raconter à tante Rosa ce que nous venions de vivre. Je risquais de me faire gronder, mais j'étais trop excité pour me taire.

– Ce n'est pas très malin d'avoir emmené ton frère, mais bon, comme j'y étais moi aussi avec ton oncle… dit-elle en souriant. J'ai trouvé que c'était… C'était extraordinaire ! Vous vous rendez compte ! Nous avons pu le faire libérer !

– Pourquoi était-il en prison ? demanda Josh. Nous n'avons pas pu savoir.

– Pour excès de vitesse. La seule raison qu'ils aient trouvée! Et encore, je ne suis pas sûre que cela soit vrai!

– Reste à savoir ce qu'ils vont inventer d'autre, renchérit oncle Albert. Il est sorti parce qu'une équipe de télévision était là et ils ont peur de la publicité faite au pasteur, on parle de plus en plus du boycott et de ses sermons. Mais ce n'est pas évident qu'ils en restent là!

Oncle Albert avait raison. Dans ce bras de fer quotidien, les Blancs voulaient avoir le dernier mot. Le conseil municipal faisait la sourde oreille et dédaignait nos revendications. Après avoir longuement discuté avec Josh, nous nous étions mis d'accord pour leur répondre de la même manière: œil pour œil, dent pour dent. Les méthodes pacifiques prônées par la MIA étaient inefficaces et il nous paraissait évident qu'il fallait se battre. Nous avions caché dans nos poches des couteaux, prêts à servir si l'occasion se présentait.

– Si oncle Albert tombe dessus, on va prendre un sacré savon. Même une raclée! Et on risque de ne plus avoir le droit de sortir.

Josh approuva, mais les punitions de notre oncle ne lui faisaient pas peur!

– Tant pis, on fera le mur s'il le faut. Mais je ne me laisserai pas faire.

Quelques jours plus tard, une explosion assourdit notre quartier. Une fumée noire assombrit le ciel, des éclats de bois volèrent jusqu'à la rue, une rumeur sourde s'amplifia.

Avec mon frère, nous suivîmes le flot de personnes s'élançant jusqu'à une maison dont la véranda avait volé en mille morceaux. Une femme en pleurs, un bébé accroché à son cou, ramassait les débris de verre. Je la reconnus immédiatement : Coretta King. De toute part affluaient des hommes armés de gourdins, de barres de fer, de crics, des hommes n'ayant plus rien à perdre. Les sirènes de la police percèrent le grondement des voix. Une vingtaine de policiers formèrent un cordon autour de la maison, nous enserrant. Casqués, le fusil pointé sur nous, ils étaient prêts à fondre sur notre attroupement. Nous nous rassemblâmes rapidement pour leur faire face. L'affrontement était silencieux, seuls les déclics des chiens de fusil résonnaient lourdement. Je sortis de ma poche mon couteau affûté pour le caler dans ma main. J'étais prêt à tuer s'il le fallait. Josh tenta d'approcher les policiers.

– Attends un peu, si nous attaquons, c'est tous ensemble, dis-je.

Martin Luther King arriva quelques minutes plus tard. Je fus frappé par le calme avec lequel il regarda la scène. Coretta lui fit un pauvre sourire puis, du menton, nous désigna. Il serra quelques mains puis s'interposa entre les deux groupes. Il nous parla posément tout en regardant les policiers :

– Qu'est-ce qu'une véranda détruite face à la vie d'une famille ? Rien. Et la mienne est sauve, Dieu merci. Qu'allez-vous faire devant les fusils ? Vous faire tuer ? Et ensuite, que se passera-t-il ? La ville prendra feu, les gens pleureront leurs morts, les Blancs se diront qu'ils ont bien eu raison de mater les Noirs. Et ils auront gagné ! Alors que nous savons maintenant quelles attitudes il faut adopter, les mêmes depuis des années, celles qui nous ont permis de survivre, de nous protéger jusqu'à présent : sourire, opposer notre calme, ne pas rentrer dans leur jeu, éviter d'agir comme ils le souhaitent.

Des larmes coulaient sur son sourire. Je rangeai mon couteau dans ma poche.

– Vous êtes mon peuple et je suis fier de vous. Aujourd'hui, deux mois après le début du boycott, nous avons prouvé à l'Amérique que nous étions solidaires, des personnes dignes et cette dignité ne pliera pas sous les injures, les menaces et les brimades. Nous sommes soudés, forts, puissants, nous parviendrons à obtenir ce que nous voulons.

Répondre à leur haine par la nôtre ne ferait qu'augmenter leur violence. Désobéissons, refusons de nous rabaisser mais toujours sereinement. Faisons respecter nos droits, luttons jusqu'à la victoire. Aujourd'hui, je vous demande de rentrer chez vous tranquillement et de laisser les policiers faire leur travail dans mon jardin en espérant que les coupables soient un jour punis.

Personne ne bougea. Martin Luther King rejoignit sa famille puis, dans un même mouvement, la foule tourna le dos à la police. En rentrant à la maison, je jetai mon couteau dans une poubelle. Josh me regarda, ahuri.

– Pourquoi fais-tu cela ? Tu peux en avoir besoin !

– Plus maintenant. J'ai eu trop peur.

– Peur ?

– Oui, peur d'avoir envie de l'utiliser, peur de les étriper, de les tuer tous. Je n'aurais pas pu me contrôler, j'aurais été trop content de leur faire du mal.

– Et alors ? Je ne te comprends pas ! C'est ce qu'ils méritent.

– Tu as raison, ils méritent une bonne leçon qui les aide à prendre conscience que ce qu'ils nous font subir est horrible, mais pas la mort. Je ne suis pas un assassin.

– Eux ne se gênent pas. Ce sont des criminels. Et tu vas les laisser faire?

Je n'ai pas su quoi lui répondre. Je n'avais pas encore trouvé toutes les réponses à mes questions.

Les mois passèrent, le boycott continuait et je me demandais s'il allait s'arrêter un jour. Nous avions pris l'habitude de marcher et de ne plus être effrayés par les nombreuses menaces et insultes. Plus rien ne pouvait arrêter le processus que nous avions déclenché.

C'est au moment où l'on ne s'y attendait plus que la bonne nouvelle nous cueillit: nous étions sortis vainqueurs de ce boycott*. Dans la rue, les gens chantaient, s'embrassaient, se félicitaient, hurlaient des mots de victoire. Immédiatement, pour riposter à ces manifestations de joie, des hommes du Ku Klux Klan paradèrent dans les avenues, scandant des menaces, nous provoquant en brûlant des marionnettes géantes aux visages noircis de cirage. Quelques bombes éclatèrent ici et là, ne faisant que des dégâts matériels. Nous les regardions faire sans crainte, forts de notre victoire.

Notre famille eut les honneurs de notre communauté. Ce jour-là, je ne traînai pas en chemin

---

* Décision du 13 novembre 1956: la Cour suprême des États-Unis déclarait inconstitutionnelle la ségrégation raciale dans Montgomery et l'Alabama.

pour rentrer à la maison après le collège. Tante Rosa et oncle Albert étaient déjà sur leur trente et un, nous houspillant pour que nous nous dépêchions d'enfiler une chemise propre. Nous devions tous les quatre monter à nouveau dans un bus, le premier bus où les Noirs étaient admis « normalement ». Quand nous arrivâmes, j'eus l'impression que tous les Noirs de Montgomery s'étaient donné le mot pour être là tant il y avait de monde. Martin Luther King nous attendait à l'arrêt et j'osai lui parler :

– Vous aviez raison ! Maintenant, j'en suis sûr ! Ils ont bien essayé de nous faire renoncer mais nous avons été les plus forts. Et tout cela, grâce à vous, en suivant vos conseils, sans violence !

Il me serra dans ses bras. J'appréciais la rudesse de ses gestes qui me rappelait celle de mon père. Au bord des larmes, je lui avouai :

– Pourtant, le jour où ils ont posé une bombe chez vous, je me suis senti prêt à tuer quelqu'un. Je crois bien que rien n'aurait pu m'arrêter.

Il chuchota :

– N'aie pas peur, tout le monde a, un jour ou l'autre, éprouvé cette envie de meurtre devant tant d'injustice. Seulement, peu ont l'honnêteté de l'avouer. Merci, Sam, de me faire cette confidence. Je vais te dire une chose : mon fils est plus jeune que toi et je souhaite qu'un jour il te ressemble.

Je n'ai jamais oublié cette phrase.

Tante Rosa organisa une fête à la maison pour célébrer notre succès. J'invitai Lili. Le soir, en la raccompagnant jusqu'à sa porte, je sautai le pas. Cela faisait plusieurs semaines que je voulais l'embrasser mais je n'osais pas. J'avais peur qu'elle me repousse. Elle fit un geste pour éviter mes lèvres puis se laissa aller entre mes bras. J'aurais voulu que mon premier baiser dure une éternité.

1957 – L'année de mes quinze ans

Depuis quelque temps, Josh me rendait mal à l'aise. Nous nous étions éloignés l'un de l'autre. Il est vrai que je passais la plupart de mon temps libre avec Lili et, tous les soirs, je l'attendais à la sortie du collège pour la raccompagner chez elle. J'aimais l'embrasser, la serrer contre moi. Sa peau était si douce que je rêvais de caresser son corps nu. Mais Lili m'interdisait d'aller plus loin que quelques frôlements sous son chemisier. Je rentrais ensuite à la maison, la tête perdue dans les étoiles, sûr d'être amoureux d'elle jusqu'à la fin de mes jours.

Du coup, je ne faisais plus le chemin avec mon petit frère. Finies les discussions sur les résultats des matchs de base-ball de nos équipes préférées. Quand je commentais quelques belles passes d'un joueur, il me répondait à peine comme si ces conversations l'ennuyaient. Il devenait de plus en plus taciturne, s'enfermait dans sa chambre et n'en sortait qu'au moment des repas. Et si tante Rosa passait la tête par l'entrebâillement de la porte, s'inquiétant de son isolement, il répondait invariablement:

– Laisse-moi tranquille, je travaille et j'ai besoin de calme.

Je ne le croyais pas vraiment. Un de nos professeurs m'avait appris que, lors d'un devoir sur table en histoire, il avait rendu une copie blanche. Interrogé, Josh avait lancé laconiquement:

– Je n'ai rien à dire, ça ne m'intéresse pas!

Ce professeur voulait convoquer tante Rosa, mais je lui demandai d'attendre un peu. Je lui promis de parler à mon frère. Alors que je le questionnais, Josh me lâcha:

– Mêle-toi de ce qui te regarde et retourne avec ta Lili ou dans tes bouquins.

– Si tu as des problèmes en classe, je peux t'aider.

Josh ricana.

– Les forts en thème ne sont pas les plus forts partout, si tu vois ce que je veux dire.

Je ne voyais pas du tout ce qu'il insinuait. Jusqu'à présent, Josh avait eu des résultats scolaires moyens. Devenait-il jaloux des félicitations que j'obtenais à la fin de chaque trimestre ? Je le pris par l'épaule et le serrai tendrement.

– Dis-moi si tu as des soucis. Tu es mon frère, je ne te laisserai jamais tomber.

– Laisse-moi, ne me touche pas, répondit-il brusquement, sinon, je t'éclate la tête.

Il transpirait de colère.

– T'es qu'un mou, une poule mouillée, cracha-t-il. J'ai honte d'avoir un frère comme toi, un frère qui n'a aucun courage. Fous-moi la paix ! Quand je pense que tu étais un exemple pour moi, jusqu'à présent !

Je lui assénai un coup de poing dans l'estomac, le laissant à terre. Puis, je sortis abasourdi de sa chambre. Josh ne m'avait jamais parlé ainsi. Était-ce l'histoire du couteau qu'il ne m'avait jamais pardonnée ? Que s'était-il passé ces dernières semaines que je n'avais pas remarqué ? C'est vrai que je n'étais pas très présent. Quand je n'étais pas avec Lili, je travaillais comme un fou car nous nous étions mis en tête d'être admis dans le prestigieux lycée Hard Stone. Jusqu'alors, aucun élève noir n'avait été accepté dans cet établissement uniquement fréquenté par des élèves blancs. Nous avions très peu de chances de réussir.

Quelques images m'assaillirent comme des flashes : sa solitude dans la cour de récréation, souvent assis sur un banc le regard ailleurs, ses longs conciliabules à la sortie du collège avec un groupe de jeunes que je ne connaissais pas, ses phrases lapidaires contre « les maîtres blancs dont j'aurai la peau », oncle Albert cherchant partout son long couteau qui lui servait à dépecer les lapins. Un horrible pressentiment me fit frissonner. J'avais entendu parler d'une bande d'adolescents noirs qui traînait dans les quartiers chics des Blancs, incendiant des garages, des granges, blessant parfois les hommes qui s'interposaient. La police n'avait toujours pas mis la main dessus, ils s'évanouissaient avant même que mugissent les sirènes des voitures. Se pouvait-il que Josh ait intégré ce groupe?

Mais j'eus beau le surveiller, le filer quand il sortait du collège, il s'évanouissait sans que je m'en aperçoive. Il revenait à la maison une ou deux heures plus tard, exténué, maussade, débraillé et prétextait un travail en bibliothèque ou chez un copain pour expliquer son retard. Tante Rosa n'était pas dupe et levait un sourcil dubitatif devant ses explications.

— Tu me racontes des bêtises, lui disait-elle, dis plutôt la vérité.

— Vérifie si tu penses que je mens, répondait-il avec aplomb.

– Pourquoi ton pantalon est troué au genou?

– Tombé sur un caillou. Ça arrive, non?

– Je ne te crois pas, rétorquait tante Rosa. Je ne sais pas ce qui se passe mais, je te préviens, gare à toi si j'apprends quoi que ce soit sur ton comportement.

Josh se tint à carreau jusqu'à la fin de l'année scolaire. Peut-être n'avait-il pas envie de les décevoir? Mais je pensais plutôt qu'il avait dû avoir quelques ennuis qu'il voulait cacher à tante Rosa. Celle-ci était persuadée que les choses allaient s'apaiser.

– Tu comprends, Sam, vous avez tous deux des caractères différents. Josh était si jeune à la mort de tes parents, il a dû souffrir beaucoup plus qu'il ne l'a laissé paraître. Et il est moins causant que toi, moins démonstratif. En ce moment, le passé doit sûrement le rattraper et il n'arrive pas à vider ce qu'il a sur le cœur. Je suis sûre que cela va aller mieux dans quelque temps, quand il aura mûri.

Moi, je ne croyais pas vraiment aux explications de ma tante. Mais j'oubliai toutes ces histoires quand je reçus la confirmation que j'étais admis au lycée Hard Stone. Mon dossier et celui de Lili avaient été retenus et, quand je brandis ma lettre d'admission comme un trophée, Josh haussa simplement les épaules. Cela ne me toucha pas outre mesure. Je considérais cet exploit comme beaucoup plus important que les frasques de mon frère. Pour la première fois, dans un État du Sud, neuf étudiants noirs allaient faire leur rentrée dans un établissement pour Blancs. La fin de la ségrégation dans les établissements scolaires avait pourtant été votée par la Cour suprême en 1954, mais rien n'avait encore bougé. Les Blancs frémissaient d'horreur à l'idée de nous accueillir dans leur lycée et ne comprenaient pas pourquoi nous n'allions pas tout simplement étudier dans les établissements réservés aux gens de couleur. Nous avions réussi là où tout le monde avait échoué et cette grande première pouvait faire boule de neige.

Tante Rosa et oncle Albert se pavanaient dans le quartier tant ils étaient fiers. Cela les avait aidés à accepter le redoublement de Josh.

Deux jours avant la rentrée, une fête fut organisée à la maison. Pour tante Rosa, tout événement exceptionnel méritait d'être arrosé avec ses amis. Elle avait invité tout le quartier ainsi que les huit autres étudiants admis à Hard Stone. Décorer la maison lui avait pris deux bonnes journées. Des ballons arboraient nos prénoms écrits en couleurs vives et, sur des banderoles, on pouvait lire des phrases de félicitation. Je trouvais cela un peu excessif mais Lili pensait que nous le méritions.

Nous avions reçu des lettres d'encouragement de plusieurs personnalités de notre communauté : « C'est aussi grâce à des jeunes comme vous que nous gagnerons notre combat. Tenez bon et bravo. » Oncle Albert les avait punaisées dans le hall d'entrée. Il fallait que chaque invité puisse les lire.

Peu avant le dîner, tante Rosa s'éclipsa pour se recoiffer. Dans la cuisine, ses amies se bousculaient devant le fourneau. Des odeurs alléchantes de tomate verte, d'écrevisse et de poulet frit, de tarte fraîche et de pécan nous attiraient et nous nous faisions joyeusement chasser à coups de torchon.

Oncle Albert jetait fréquemment des coups d'œil par la fenêtre. Je me demandai un instant ce qu'il guettait puis j'oubliai ce comportement étrange. Et, comme chaque fois, ils m'épatèrent. Au plus fort de la soirée, alors que nous trinquions à notre succès, Martin Luther King, Coretta et leur fils aîné passèrent prendre un verre avec nous. Je n'en revenais pas ! Les invités se pressèrent autour d'eux, assaillant le pasteur de questions sur la récente création de la SCLC* dont il avait été élu président. Cette association regroupait diverses organisations de défense des Noirs.

------

* SCLC : Southern Christian Leadership Conference (Conférence des dirigeants chrétiens du Sud).

Je constatai qu'être un homme public n'était pas facile! Avec beaucoup de patience, il se plia à leur demande:

– Notre projet est de mener une grande campagne pour que notre communauté obtienne ce qui lui est dû depuis longtemps: la possibilité de s'inscrire sur les listes électorales.

Oncle Albert me jeta un coup d'œil, surveillant ma réaction. Je l'interrompis, plein d'assurance:

– Mes parents l'ont payé cher de vouloir voter. Il faudra encore combien de morts pour changer les mentalités, arriver à nous faire respecter?

– Je connais ton histoire, Sam, ta tante me l'a racontée et je sais que jamais rien ne pourra effacer ce que tu as vécu. Mais je vais te dire quelque chose qui va peut-être te choquer: je suis prêt à mourir pour combattre toutes les injustices que nous subissons. Pour moi, tes parents sont des héros.

Je les avais toujours considérés comme des victimes. Mais, ce jour-là, je réalisai combien ils avaient pu être courageux d'avoir refusé de céder aux pressions des hommes blancs.

Josh ne manifesta aucune réaction. Il se tenait dans un coin de la pièce, sans un regard pour aucun d'entre nous, puis il fila sans que l'on s'en aperçoive. Lorsqu'il revint, une fois la fête terminée, il affichait un air satisfait.

– D'où viens-tu ? le questionna oncle Albert. Tu aurais au moins pu attendre la fin de la fête pour déguerpir. Tu n'as même pas salué nos invités !

– Qu'est-ce que cela peut faire ? Ils n'étaient pas là pour moi. J'avais rendez-vous avec des copains, on a fait un tour à vélo, puis un de nous a crevé, il a fallu réparer.

– Va falloir filer droit si tu ne veux pas que je t'envoie en pension, a bougonné oncle Albert.

Visiblement, Josh s'en fichait. Il piqua un cookie et s'enferma dans sa chambre. La soirée s'acheva sur une note triste.

Le lendemain soir, oncle Albert entra brusquement dans ma chambre.

– Viens vite. Je savais bien qu'il y aurait des problèmes, je l'avais dit à ta tante.

Je pensais que Josh s'était encore fait remarquer. Dans la cuisine, tante Rosa avait l'oreille collée au poste de radio.

– Chut, écoutez.

La voix du gouverneur de l'État grondait sur les ondes :

– Devant les menaces répétées d'un grand nombre de citoyens qui refusent l'intégration des jeunes étudiants noirs dans notre lycée, j'ai pris la décision d'appeler la garde nationale pour assurer la sécurité de tous les élèves. Les neuf étudiants noirs ne se présenteront pas devant Hard Stone demain matin. Il est indispensable d'éviter tout bain de sang.

La suite du discours se perdit dans les exclamations de mon oncle et ma tante :

– Qu'est-ce qu'ils ont inventé encore ?

– Qu'est-ce que cela veut dire ? Qu'il ne pourra pas faire ses études au lycée ?

La sonnerie du téléphone mit fin à leurs interrogations. J'écoutai les réponses, le cœur battant. Tous mes espoirs risquaient de tomber à l'eau. Je pouvais ravaler la fierté que j'avais d'avoir été admis dans ce prestigieux établissement. Seuls des « oui » et des « d'accord » ont ponctué la conversation. Quand tante Rosa est revenue, elle s'est affalée sur une chaise.

– C'était le proviseur. Il demande que les enfants fassent leur rentrée plus tard dans la matinée, accompagnés de Maggy Snorr. Les parents ne doivent pas venir, il a peur qu'il y ait une émeute.

– Qui est Maggy Snorr ? interrogeai-je, consterné.

– Elle milite à la NAACP depuis des années. Je l'ai rencontrée plusieurs fois au moment du boycott. Ils ont décidé qu'elle serait avec vous tout au long de la journée en tant que médiateur. Les autorités ne vous acceptent qu'à cette condition. Oh,

Sam, je me demande si l'on a bien fait de t'inscrire là !

– Je veux y aller et rien ne me fera changer d'avis. Je me suis déjà demandé si cela n'allait pas se casser la figure. Je crois que je ne l'aurais pas accepté. Alors, crois-moi, je n'ai pas peur.

– Je sais bien, mais moi, j'ai peur des autres, ils sont trop nombreux à vouloir notre peau.

– Je ne ferai rien qui puisse les provoquer, je te le promets. Allez, ne vous inquiétez pas, tout se passera bien.

En apprenant la nouvelle, Josh n'eut pas l'air étonné.

– Je vous l'avais bien dit. Jamais les Blancs ne nous accepteront. Il faut leur faire la guerre, lutter avec des armes, comme eux, pour leur rendre la pareille.

Aucun d'entre nous ne lui répondit. Et s'il y avait une part de vérité dans ce qu'il disait ?

1958 – L'année scolaire de mes quinze, seize ans

Nous nous retrouvâmes chez Maggy dès huit heures du matin. Lili n'était pas là. Je paniquais car je savais que ses parents n'avaient pas le téléphone. Maggy confirma que personne de l'association ne s'était déplacé pour les prévenir. Ils n'y avaient pas pensé, supposant que sa famille avait dû écouter la radio. Moi, je savais que le père de Lili éteignait le poste dès que les émissions de musique se terminaient. Il détestait les blablas des politiques, il me l'avait souvent dit. Je m'en voulais de ne pas y avoir songé, trop occupé par les préparatifs de cette rentrée.

Notre médiatrice avait reçu une consigne : ne pas bouger tant que le gouverneur n'en donne pas l'ordre. Le poste de radio était allumé et nous formions un cercle silencieux, concentré sur les informations. La nouvelle nous cueillit abruptement.

Une jeune fille avait été agressée par une foule rageuse et haineuse. Lili ? Je craignais le pire, ça ne pouvait être qu'elle ! Son absence ne se justifiait pas autrement. Je serrai les poings, essuyant rageusement quelques larmes inutiles.

J'avais raison ! En descendant du bus, une grappe féroce et agressive de parents d'élèves blancs l'avait entourée. Encerclée, bousculée, ballottée d'un groupe à un autre, Lili fut empêchée d'entrer dans l'établissement, subissant leurs cris hystériques :

– Tuez-la ! Sale Négresse ! Retourne dans ta cabane ! À mort !

Tremblante de peur, elle avait pu s'échapper et monter dans le premier autobus qui passait. Un journaliste couvrant l'événement pour la radio l'avait protégée en repoussant des personnes enragées qui voulaient la frapper.

– Surtout, sèche tes larmes et ne montre pas à ces sauvages que tu pleures !

Ces paroles avaient aidé Lili à supporter cette épreuve. Lorsqu'elle nous retrouva chez Maggy, des traînées blanches zébraient ses joues. Je la couvris de baisers et lui murmurai des excuses, honteux de mon insouciance de la veille.

Elle nous raconta comment elle avait bravé sans sourciller la foule habitée par la haine et ses mots se bousculaient, heurtés, des mots amochés, comme jetés au hasard. La garde mobile, témoin de toute cette folie, n'avait pas bougé. Certains même regardaient ailleurs.

Lili tremblait à l'idée de retourner à Hard Stone, mais je la poussai à ne pas abandonner :

– Après ces mois de travail, tu ne peux pas baisser les bras ! Cela leur ferait trop plaisir !

Elle ne me contredit pas, pourtant, je sentais bien qu'elle n'était pas totalement convaincue d'avoir la force de tenir le coup.

Nous attendîmes trois semaines chez nous avant de pouvoir intégrer le lycée. Chaque jour, nous venions chez Maggy pour apprendre que peut-être... Demain ou plus tard, dans le mois !

Un soir, Josh frappa à la porte de ma chambre.

– Tu vois, me dit-il, triomphant, tu vois, les Blancs ne veulent pas de nous. Tu en as la preuve, tu le vis. Que veux-tu de plus pour comprendre ?

– Je ne sais pas, j'ai toujours de l'espoir. Je sais que dans le Nord, des personnes se révoltent quand elles entendent ou voient à la télévision ce que nous subissons. Qui sait ?

Josh eut un mouvement de dépit.

– Rejoins-nous, demanda-t-il gravement. Justement, là-bas, j'ai entendu dire que les Noirs ne se laissaient pas faire. Tu as entendu parler des Black

Muslims*? Et de Malcolm X**? Eux au moins, ils se battent.

Bien sûr que j'étais au courant. Les médias en parlaient souvent.

Curieux, j'observais Josh. Ses yeux brillaient d'excitation.

– Tu veux dire quoi, exactement?

– Eh bien, ils se défendent, ils répondent aux coups par des coups. Chaque fois, les Blancs ont des retours de bâton. La peur, la violence, la haine, voilà nos armes aux uns et aux autres. Pas question de s'intégrer dans leur société raciste. C'est pour cela que la solution de l'autodéfense est la bonne. Et j'y crois car les Blancs tremblent, comme nous nous avons tremblé pendant des années. Je n'ai jamais oublié que nos parents en sont morts.

Moi non plus, je ne risquais pas d'oublier. Ces souvenirs étaient toujours aussi forts. J'eus envie de faire remarquer à Josh que, cette nuit-là, c'est moi qui m'étais précipité dans la fournaise.

– Laisse-moi réfléchir, je ne suis pas prêt à blesser ou à tuer des gens. Pourtant, moi aussi je suis

---

* Black Muslims : organisation créée par Elijah Muhammad, se battant pour un État noir indépendant en Amérique. Prône l'autodéfense face aux agressions des Blancs.
** Malcolm X : il devient l'adjoint d'Elijah Muhammad jusqu'au désaccord final où il refuse les idées prêchées par les Black Muslims.

très en colère. Mais j'ai une autre idée. Et je vais te confier un secret, Josh. Je me suis donné un objectif: devenir juge dans un État du Sud. Pour réussir à faire bouger les mentalités. Et ce rêve, je ne veux pas l'abandonner. Parce que, ce jour-là, je pourrai défendre mes frères. Alors, crois-moi, je compte bien poursuivre mes études et y arriver.

– Un frère juge et noir, quelle ironie, quelle bonne blague! ricana Josh. Oui, tu auras certainement affaire à moi un jour, car je ne serai jamais dans ton camp!

Je n'eus pas le temps de lui répondre car il claqua la porte, me laissant perplexe. De nous deux, qui avait raison?

Cette attente me plongea dans une profonde angoisse. Un matin, j'osai appeler Martin Luther King au téléphone pour lui demander de me recevoir. J'avais besoin d'être rassuré sur mon choix d'entrer dans un lycée où je n'étais vraiment pas le bienvenu. N'était-ce pas de l'entêtement, étant donné les circonstances? Je me dis que si lui trouvait cette décision judicieuse, alors c'était que j'avais raison. Je recherchais le regard tranquille et confiant d'un père, et oncle Albert était trop craintif pour me le donner. Il m'accueillit dans son bureau le jour même.

– À quoi bon insister? lançai-je. De toute

manière, ils font tout pour que nous n'y mettions pas les pieds!

– Justement, si tu cèdes, tu leur donnes raison. Comprends que c'est aussi en t'intégrant dans la société blanche que tu pourras te faire entendre. En obtenant les mêmes diplômes qu'eux, tu seras sur un pied d'égalité et alors assez fort pour défendre les droits de notre communauté. Nous avons besoin de jeunes comme toi qui, ensuite, prendront notre relève.

J'avais très envie de le croire et surtout, pas envie de le décevoir. Je pris donc mon mal en patience jusqu'au jour où Einsenhower, le président des États-Unis, demanda personnellement au gouverneur de nous intégrer dans le lycée. La télévision et la radio nous avaient soutenus, peut-être sans le vouloir, en relatant tous ces événements. Mais celui-ci avait fait la sourde oreille et il avait fallu un ordre du tribunal pour qu'il cède enfin. Trois semaines plus tard!

Jour J. Nous nous retrouvâmes tous chez Maggy avant d'affronter notre premier jour de classe. Lili n'avait pas dormi de la nuit: elle regrettait de ne pas avoir tout laissé tomber, cela ne lui disait plus rien d'étudier dans ce lycée. Nous l'entourions du mieux que nous pouvions en lui promettant de ne pas la lâcher d'une semelle. Pour nous tous, c'était un grand saut dans l'inconnu et la peur nous nouait le ventre. Je serrai tendrement les épaules de Lili.

– Ne t'inquiète pas, je serai là. Si ça se trouve, nous serons dans la même classe. On ne peut plus se dérober, maintenant, ils nous attendent. Pas question que les Blancs claironnent qu'on est des froussards.

Dans le bus qui nous y emmena, nous étions tous silencieux mais solidaires. Juste avant d'arriver devant l'établissement, nous entendîmes des cris, un brouhaha de voix puissantes. Une foule compacte, brandissant des banderoles, agitant le poing, formait un mur qui nous paraissait infranchissable.

– Courage, on y va. Surtout, ne réagissez pas à leur violence, nous conseilla Maggy.

Les uns derrière les autres, nous nous avançâmes vers la porte du lycée. Des visages grimaçants de colère s'approchaient dangereusement de nous, des femmes bavaient des mots haineux, des hommes vomissaient leur fureur. Il y eut une mêlée indescriptible où un photographe, tentant de capter ce délire, fut blessé.

Le trajet jusqu'à l'entrée me parut très long. Mes jambes tremblaient, j'avais peur qu'elles ne me portent pas. Lili agrippa la manche de ma chemise et ne me lâcha plus. Une fois dans l'établissement, le proviseur nous fit un signe de tête puis, glacial, annonça que nous ne serions pas dans la même classe. La meilleure façon, pour lui, de faciliter notre intégration parmi les élèves blancs. La pire des choses qui pouvaient nous arriver : nous éparpiller dans différentes classes. Je serrai les dents, Lili fondit en larmes.

– Mademoiselle, vous avez désiré faire vos études dans ce lycée, vous assumez votre choix. Sinon, la porte est grande ouverte.

Quand j'entrai dans la salle de cours, toutes les têtes se tournèrent vers moi dans un même mouvement. Je pus alors y lire la colère, le dédain, la moquerie mais en aucun cas, je ne décelai un signe de sympathie ou d'intérêt. Le professeur m'indiqua une place, au fond de la classe. J'étais seul à une table. Cette première journée fut un cauchemar : j'avais trois semaines de retard sur le programme et je n'osai pas demander d'aide aux professeurs et encore moins aux élèves. Ceux-ci marquaient la plus profonde indifférence à mon égard. Leurs regards me traversaient comme si je n'étais qu'un fantôme.

Maggy nous attendit le soir chez elle. Il avait été décidé que nous nous retrouverions après chaque journée de classe pour discuter et tenter de résoudre nos difficultés.

– Aucun élève ne m'a parlé, dit Lili.

– Moi non plus, enchaîna un autre, et quand je pose une question à un professeur, la moitié de la classe ricane pendant que l'autre soupire. Je n'ai pas insisté, je préfère me taire !

– D'ailleurs, même les professeurs ne nous adressent pas la parole, ajoutai-je.

– Vous avez vraiment du courage, souligna Maggy. Mais ce n'est que le premier jour, les choses peuvent sûrement s'améliorer.

Tante Rosa et oncle Albert étaient dépités. Ils se contentaient de m'écouter, sans m'encourager. Depuis le début, ils pensaient que suivre une scolarité dans ce lycée était une erreur.

– Eh bien, ce n'est pas gagné. La victoire du boycott n'a pas encore changé grand-chose aux mentalités, conclut oncle Albert.

– Jusqu'où vas-tu tenir sans réagir ? me questionna Josh. Ces jeunes Blancs méritent tous des claques !

– Pour le moment, je tiens le coup. Je n'ai pas envie de craquer. J'ai les mêmes droits qu'eux, dont celui de poursuivre mes études. Après tout, je suis un citoyen américain.

– Oui, tu es un bon citoyen américain tant que tu es dans un lycée pour bons Noirs. Qu'est-ce que tu peux être naïf !

– J'y arriverai, marmonnai-je.

Le lendemain, nous faisions la une des journaux. Des photos dénonçaient la violence des gens du Sud, dévoilaient leur brutalité. Surprise par notre calme, l'opinion publique s'était ralliée à notre cause. Le président Eisenhower avait envoyé des soldats pour nous protéger pendant toute l'année scolaire.

Cela m'aida à supporter les mois qui suivirent. Ils font certainement partie des pires souvenirs de mon adolescence. Les élèves continuèrent à ne pas nous adresser la parole, les professeurs nous ignoraient. Comme les autres, les seules appréciations que je recevais étaient notées en rouge sur mes copies. Je travaillais dur et obtenais de très bons résultats. Ce qui suscita de fortes jalousies et des représailles de la part des lycéens. Les pages d'un de mes livres furent déchirées, mes copies étaient trop souvent tachées d'eau, d'encre, parfois annotées en marge de mots cruels ou ironiques écrits par certains garçons.

Je m'en plaignis une fois à mon professeur d'histoire, un des rares à me saluer lorsque je le rencontrais. Il eut ce simple commentaire :

– Que voulez-vous que je fasse ? Ils ne comprennent pas pourquoi vous avez été admis ici. Autant sermonner des murs. Franchement, je ne peux pas vous aider, je ne voudrais pas me mettre leurs parents à dos!

C'était clair et sans appel. Pas un Blanc, professeur ou personnel administratif, ne prendrait le risque de nous protéger.

Un soir, ce fut le drame. Lili arriva chez Maggy au bord de la crise de nerfs. Des traces violacées marquaient ses poignets, sa chemise n'avait plus de boutons. Elle ne pouvait plus parler, des hoquets la secouaient. Maggy lui demanda de s'asseoir puis, patiemment, nous attendîmes qu'elle puisse nous raconter.

– J'étais aux toilettes quand une bande de garçons a débarqué. Ils avaient un regard fou, leur visage devenait grimaçant sous l'effet de la haine. Ils m'ont bousculée contre la porte, deux d'entre eux m'ont maintenue contre le chambranle en me tordant les bras et les autres ont baissé leurs pantalons et ont essayé de... Enfin, je ne sais pas comment dire, de... de me violer!

Nous étions tous sous le choc, dégoûtés. Maggy l'encouragea du regard.

– Je n'arrivais pas à crier, j'étais tétanisée par la peur. Une femme de ménage est arrivée à ce moment-là et leur a donné des coups de balai. Ils se sont enfuis en ricanant: « Vous prenez la défense des Négresses, maintenant? » Elle a rigolé, m'a poussée vers la sortie et m'a dit : « Allez, remets de l'ordre dans tes habits. Avoue, tu as bien dû les chercher, sinon ils auraient jamais fait ça. Alors, c'est tant pis pour toi. »

– Qu'as-tu fait ensuite ? demanda Maggy.

– Rien, je suis retournée en classe. Tout le monde s'en fiche dans ce lycée. Le professeur était furieux car j'étais en retard à son cours. Je n'ai même pas essayé de donner des explications ni d'aller à l'infirmerie. Ce sont des sauvages, des détraqués. Je n'y remettrai plus jamais les pieds.

Maggy acquiesça.

– Tu as raison. On va demander ton transfert dans un autre établissement. En attendant, nous allons porter plainte au commissariat.

La rage me submergea. Je lui pris brusquement le bras.

– Lili, donne-moi les noms de ces garçons. Qui sont-ils ? Je dois savoir, je dois les retrouver.

Elle prit peur.

– À quoi ça va servir ? C'est trop tard ! La police…

– Laisse tomber la police, ils ne feront rien. Je t'en supplie, dis-moi qui t'a agressée. Ils doivent payer !

Stupéfaite, elle me regarda un long moment.

– Je ne te dirai rien. Car je ne veux pas que tu deviennes comme eux. Ça restera mon secret.

Je la laissai partir sans un mot. Je me sentais humilié, brisé. Jamais plus je ne pourrais soutenir son regard. Pourquoi ne voulait-elle pas partager avec moi cette terrible épreuve ? N'avait-elle aucune confiance en moi ? Et pourquoi ne pouvais-je pas la venger avec mes poings ?

En rentrant à la maison, je ne voulus rien raconter à ma famille. Une fois dans ma chambre, je jetai mes livres et mes cours à terre puis je les déchirai un à un. Un peu calmé, je me laissai tomber sur mon lit, anéanti par ces émotions violentes qui me bousculaient.

Très vite mis au courant par Maggy, oncle Albert n'hésita pas.

– Il est hors de question que tu y retournes à la rentrée prochaine. Tu finis l'année, un point c'est tout.

Je n'essayai pas de le faire changer d'avis, il avait raison. Et le courage me manquait à l'idée d'endurer encore leur cruauté. Aucune suite n'avait été donnée à la plainte déposée par Lili. Elle avait changé d'établissement, intégrant un lycée pour Noirs et avait retrouvé petit à petit un peu de son assurance. Mais une gêne persistait entre nous, Lili s'obstinait à taire les noms de ses agresseurs. Par deux fois, je n'avais pas été là pour la protéger, j'étais humilié par son silence.

Maggy nous soutint jusqu'au bout. Pourtant, la violence se déchaînait autour d'elle. Les vitres de son salon avaient été brisées, elle avait reçu des menaces de mort par téléphone. Souvent, en pleine nuit, des voitures menaient une ronde infernale, sans fin, autour de sa maison. Mais elle ne céda jamais à leur pression.

Un soir de la fin mai, juste après le repas, tante Rosa et oncle Albert nous réunirent, Josh et moi.

– Nous avons décidé de déménager. Nous ne pouvons plus rester à Montgomery, nous ne sommes plus en sécurité, ici.

– Pour aller où ? rétorqua Josh. Pas question de partir. C'est partout pareil.

– Et pourtant, c'est ce que nous allons faire. Ton oncle a trouvé du travail à Greensboro, en Caroline du Nord. Dans une usine, comme manutentionnaire. Moi, je trouverai bien des travaux de couture. Au moins, personne ne nous connaît dans cette ville.

J'étais soulagé. Je n'aurais plus à croiser dans la rue mes anciens camarades de lycée, à subir leurs moqueries. Josh réagit brusquement, menaçant de faire une fugue et il fallut toute la force de persuasion et la gentillesse de tante Rosa pour qu'il accepte de partir.

Juste avant notre départ, nous apprenions que les écoles publiques de Montgomery allaient être fermées aux Noirs et aux Blancs l'année suivante. Les élèves seraient disséminés dans les villes des alentours. Le gouverneur avait opté pour cette solution plutôt que d'avoir à nouveau des ennuis. Ainsi, les esprits étaient censés se calmer.

Lorsque j'annonçai à Lili notre départ, elle fut assez fataliste.

– Je m'en doutais! Eh bien, c'est un peu comme un adieu!

– Mais non, on va se débrouiller pour se revoir. Et puis, on va s'écrire!

Elle secoua la tête.

– Ne cherche pas à me rassurer. Tu sais bien que voyager est compliqué. Jamais ma mère ne me laissera prendre l'autobus toute seule. Il va se passer du temps avant que l'on puisse se revoir!

Je la serrai dans mes bras sans rien oser lui promettre.

1960 – L'année de mes dix-huit ans

Sincèrement, je n'ai pas regretté d'avoir quitté Montgomery. Contrairement à Josh, je m'habituais bien à ma nouvelle vie. Nous étions inscrits dans un établissement scolaire pour les Noirs et j'aimais vraiment mes études. Je n'avais qu'une idée en tête : être admis à la faculté de droit et c'était plus important que tout. Josh, à seize ans, poursuivait poussivement sa scolarité, plus souvent dehors que devant sa table de travail. Très amer et révolté, il partait dans de longues diatribes contre le pouvoir des Blancs, la mollesse des associations de défense des Noirs qui, selon lui, couraient à leur perte à cause de leur attitude non violente.

– Rien ne bougera jamais dans ce pays, fulminait-il. Et toi, t'es bien content de te couler à nouveau dans le système. Bien tranquille !

– Tu me fais rire, tu fais quoi pour que cela change? l'interrogeais-je. Tu ne sais que râler! C'est facile!

Nous nous disputions fréquemment à ce propos. Il m'opposait très vite un mur de silence. Petit à petit, nous en sommes venus à ne plus aborder ces sujets.

Ces trois années s'écoulèrent tranquillement pour moi. Au début, Lili et moi nous nous écrivions régulièrement mais, au fur et à mesure, nos lettres devinrent de plus en plus rares. Elle était restée à Montgomery et s'apprêtait à partir un an en Afrique chez une cousine. Jusqu'à présent, nous ne nous étions pas revus.

J'écoutais très régulièrement les discours de Martin Luther King retransmis à la radio. Je ressentais le besoin de l'entendre, je voulais être au courant de ses combats. Il travaillait au lancement d'une campagne, la « Croisade pour la citoyenneté », encourageant les Noirs à s'inscrire sur les listes électorales des grandes villes du Sud. Cela trouvait un écho douloureux en moi, mes parents étaient morts pour avoir voulu voter. J'adhérais de plus en plus à ses idées et je lui envoyai quelques lettres pour lui faire part de mon enthousiasme. Il me répondit avec beaucoup de chaleur, m'interrogeant sur mes études et me demandant de l'informer de mes projets.

J'avais réussi tous mes examens de fin d'année et j'allais enfin commencer mes études de droit. Aussi, le jour de la rentrée universitaire, je ne tenais pas en place. À moi de marcher désormais dans les traces des grands leaders noirs qui bataillaient pour améliorer nos conditions de vie.

J'étais tellement excité que je rentrai en trombe dans la chambre de Josh, bien décidé à lui faire partager ma joie. J'étais sûr de le trouver, c'était l'heure de son émission musicale favorite à la radio. La pièce était vide, un silence inhabituel m'oppressa. J'eus alors un étrange pressentiment avant même d'examiner la chambre. Je vivais quelque chose de définitif. Puis, en regardant de plus près, je notai que la plupart de ses affaires manquaient.

La fuite! Josh avait filé de la maison, un départ qu'il avait évoqué quelques années plus tôt et que nous n'avions peut-être pas assez pris au sérieux.

La peine d'oncle Albert et de tante Rosa me bouleversa encore plus que sa disparition. Ils s'accusaient de ne pas avoir été assez vigilants, de ne pas l'avoir écouté et je surpris tante Rosa à pleurer doucement, gémissant à voix basse:

– Ah, ma pauvre sœur! Je n'ai pas su protéger ton fils. Pardonne-moi!

Après de nombreux coups de téléphone affolés à notre voisinage, aux amis, nous nous sommes décidés à appeler la police. Josh n'avait pas laissé de lettre et, dans notre entourage, personne n'avait eu vent de son intention de partir. Ils prirent notre déposition mais, comme d'habitude, il n'y eut pas de suite. Aucune recherche ne fut engagée. Selon les dires des policiers, beaucoup de Noirs disparaissaient sans laisser de traces. Ils n'avaient pas le temps, déclarèrent-ils, d'enquêter sur toutes les fugues du comté! Et s'il gisait au fond d'un marigot, abandonné de tous, peut-être blessé ou mort? J'envisageais le pire et je m'en voulais de ne pas avoir été plus proche de mon frère. Pourquoi les moments cruels de notre enfance avaient-ils fini, au bout du compte, par nous éloigner l'un de l'autre, plutôt que nous souder? La souffrance est-elle si individuelle qu'on ne peut la partager? Si Josh n'était plus là, je porterais toute ma vie cette désertion.

Au bout d'un mois, une carte postale de New York nous parvint avec cette phrase laconique: « Tout va bien. Pense à vous. Josh. » Je tentai de consoler ma famille en lui affirmant qu'il saurait se débrouiller comme il l'avait toujours fait.

– Je suis persuadé qu'il avait un projet en tête. Et il reviendra quand il l'aura accompli. De toute façon, il m'a toujours dit qu'il ne voulait pas rester dans le Sud.

Je mentais.

– Si au moins il nous en avait parlé, se plaignit oncle Albert. Nous aurions pu en discuter, trouver alors un moyen de l'aider à partir dans le Nord.

– Peut-être a-t-il eu peur de votre refus ?

– Sottises, reprit tante Rosa. Jamais Josh n'a eu peur de qui que ce soit. Mais tu dois avoir raison ! Il va s'en sortir !

Ils firent semblant de me croire. Toutefois ils ne lui pardonnèrent jamais vraiment cette fugue. Cela avait été trop brutal.

Dès les premiers cours en amphi, le hasard voulut que je sois assis à côté d'un garçon de Montgomery, Jim. Loin de sa famille, il traînait sa solitude car, pour le moment, il ne connaissait que la vieille dame chez qui il logeait ! Très vite, nous devînmes amis car Jim et moi avions été dans le même collège mais jamais dans la même classe. Nous nous étions souvent croisés dans les couloirs sans jamais nous parler. Puis, il avait été admis dans un autre lycée que moi et avait suivi avec attention nos péripéties à Hard Stone.

– Vous avez été bien courageux de ne pas baisser les bras, remarqua-t-il. Je ne sais pas si j'aurais tenu le coup toute une année !

Je sentais une certaine admiration chez lui,

surtout lorsqu'il apprit que j'avais rencontré de nombreuses fois Martin Luther King. Lui aussi avait assisté à des prêches du pasteur, mais n'avait jamais osé lui parler!

– Moi, il m'a toujours intimidé. Tu as eu de la chance de le recevoir chez toi. Et d'avoir pu discuter avec lui! Tu continues à avoir des contacts avec lui?

– Oui, on s'écrit. Tu sais, oncle Albert a toujours été formidable avec moi, il m'aime comme un fils mais pour moi, King, c'est autre chose. Je suis sûr que mon père devait lui ressembler. En tout cas, dans mes souvenirs, c'est comme cela que je le vois...

Un jour, alors que je lui racontais en mimant la scène comment tante Rosa avait tenu tête au chauffeur de bus, deux étudiants nous interrompirent. Tim et Hugh avaient entendu parler du boycott par les médias et, malgré leur jeune âge, s'étaient intéressés aux événements.

– Nos parents avaient l'oreille collée à la radio et je peux te dire que l'on en a passé des soirées à parler de Montgomery! expliqua Hugh.

– C'était un peu comme un feuilleton, chaque jour on voulait connaître la suite! ajouta Tim.

Ils venaient de Caroline du Sud, près de Charleston et étaient nés tous deux sur la même plantation.

– Nous sommes des cousins éloignés, raconta Hugh. Nos familles ont toujours vécu l'une à côté de l'autre et elles nous ont élevés comme des frères.

– Nos ancêtres communs étaient des esclaves et travaillaient dans les champs de coton, continua Tim. Une fois émancipés, ils sont restés sur le domaine et ont continué à trimer pour leurs maîtres. La différence c'est que le peu d'argent qu'ils gagnaient allait dans leur poche. Voilà pourquoi aucun des nôtres n'est jamais parti.

– Ils n'ont jamais cherché à trouver un travail en ville ? demanda Jim.

– C'est très difficile dans cet État de s'installer ailleurs. Le Ku Klux Klan a le bras long et empêche les Noirs d'avoir accès à des boulots qui reviennent de droit, comme ils le disent, aux Blancs. C'était donc plus sûr de rester sur la plantation. Au moins, nous avons un logement, un petit bout de jardin et de quoi nous nourrir.

– Et vos études ? Comment avez-vous fait ?

– Nous avons été à l'école du village et, ensuite, au pensionnat. Nos parents ont tout fait pour que l'on puisse les poursuivre pour avoir un vrai métier, répondit Hugh. Surtout ne pas faire comme eux. Grands-parents, oncles, tantes, tout le monde s'est cotisé pour nous aider.

– Et pas question de les décevoir! souligna Tim. Avec mon diplôme de droit en poche, je compte bien défendre les Noirs de ces foutus États racistes!

Très vite, nous devînmes inséparables. Tim et Hugh partageaient une chambre à l'université. Assis sur leurs lits, le dos calé par un tas de vêtements, nous partagions une pizza en nous lançant dans de grandes discussions jusqu'à une heure avancée de la nuit.

– Au fond, remarqua Jim un soir, c'est aussi à nous, les jeunes, de bouger. Il ne suffit pas d'attendre que nos aînés le fassent à notre place.

– Oui, mais comment? Entre les cours et les devoirs à bûcher à la maison, nous n'avons pas beaucoup de temps! releva Hugh. Attendons un peu, nous verrons plus tard.

– Et puis, quelle action? Nous ne faisons partie d'aucune association. Comment quatre étudiants totalement inconnus peuvent-ils espérer se faire entendre? continua Tim.

– Il faut adhérer à la NAACP, suggérai-je. Ils ont des bureaux un peu partout!

– Pff, une bande de vieux croûtons, on ne pourra jamais les faire bouger, les jeunes les dérangent! lança Jim en riant. Non, ce qu'il faut, ce sont des actions menées par des gens de notre âge.

Qui a eu l'idée en premier, je ne saurais pas le dire. Le destin peut jouer de drôles de tours. Car le lendemain matin, nous nous retrouvâmes assis, tous les quatre, à la cafétéria d'un grand magasin de la ville, un endroit où nous n'allions jamais. Dans un restaurant où les séparations raciales étaient immuables depuis des décennies : une salle réservée aux Noirs et une salle pour les Blancs. Nous nous assîmes au comptoir, avec les consommateurs blancs. Un serveur noir s'approcha de nous :

– Partez, allez de l'autre côté, vous n'avez pas à être là.

– Pourquoi ? Parce qu'on est noirs ? Qui nous l'interdit ?

L'homme désigna du menton une des pancartes clouées au-dessus du bar et jeta quelques mots de colère :

– Moi! Je ne veux pas de problèmes. Vous avez tout intérêt à obéir.

– Nous ne faisons rien de mal, répondit Jim. Nous avons de quoi payer notre boisson, si c'est de cela que vous avez peur.

– Je vous servirai si vous vous asseyez dans l'autre salle. Sinon, vous pouvez toujours attendre.

Les serveurs blancs, indifférents, nous ignoraient, continuant leur service comme si de rien n'était. Une femme, un peu plus loin, nous observa. Elle se pencha vers sa voisine, chuchota quelques mots d'un air pincé puis se dirigea vers la sortie en faisant un grand détour pour nous éviter. Nous attendîmes la fermeture et partîmes sans pouvoir consommer, décidés à recommencer dès le lendemain pour voir jusqu'où leur entêtement pouvait les mener. Le nôtre n'avait pas de limite.

Notre petit coup d'éclat fit le tour du campus.

– Qu'est-ce qui vous a pris ? nous demandait-on.

– L'envie d'être servis normalement, comme n'importe quel être humain. Rien de plus. Il n'y a aucune raison qu'ils refusent.

Le lendemain, après les cours, nous retournâmes à la même cafétéria. En arrivant sur les lieux, une trentaine d'étudiants noirs étaient déjà attablés, allant jusqu'à bloquer l'accès au comptoir. Les serveurs refusaient de prendre nos commandes, mais ne firent aucun geste pour nous expulser. Le patron du restaurant essaya de parlementer avec nous, en vain. Il s'embrouillait dans des phrases sans fin, ne trouvant aucun argument valable pour nous faire sortir, sauf celui, financier, que nous lui faisions perdre de l'argent en effrayant les consommateurs blancs.

Puis, tout naturellement, sans mot d'ordre, nous étions là à nouveau le lendemain, de plus en plus nombreux, nous éparpillant dans les différentes cafétérias et restaurants de la ville. Des étudiants blancs, d'une université voisine, se joignirent à nous et partagèrent nos tables. Il n'y eut, cette semaine-là, aucune violence, nous nous contentions de bavarder de choses et d'autres. La conversation, parfois, tournait autour de la ségrégation. Je fus très étonné par les propos que tenaient de jeunes Blancs sur les lois raciales de Jim Crow*. Beaucoup étaient surpris qu'elles existent encore. Dans quel monde vivaient-ils? Comment pouvait-on à ce point porter des œillères?

– Je pensais qu'elles étaient abolies depuis belle lurette, s'étonna John, fils d'une riche famille blanche de Greensboro.

---

*Lois Jim Crow: terme populaire appliqué au système de ségrégation mis en place dans le Sud après la guerre civile.

– Dans les textes, oui, dans les faits, non. Tu n'écoutes jamais la radio? Tu n'observes jamais les gens autour de toi?

John rougit.

– Allez, ne t'inquiète pas, le rassurai-je, vous êtes nombreux à ignorer notre réalité. C'est vrai que vous ne traînez pas souvent dans nos quartiers!

Je n'insistai pas, il paraissait sincère. Et puis, il ne semblait nullement gêné d'être assis avec nous. Mais, franchement, je me demandais comment ces étudiants blancs se débrouillaient pour ne pas voir certaines évidences. J'étais plutôt médusé par ces réactions désinvoltes.

Dès le lendemain, John nous rejoignit et il campait preuve d'une assurance farouche quand il s'installa à notre table. Très vite, il devint notre ami. John, seul Blanc parmi quatre Noirs, s'affichait avec fierté en notre compagnie.

– Vous avancerez plus vite si nous vous aidons, nous les Blancs, aimait-il à dire.

À la fin de la semaine, les autorités de la ville ordonnèrent la fermeture des lieux de restauration où nous allions. Ils n'avaient pas trouvé la bonne manière de se sortir de ce guêpier sans perdre la face. Une fois ou deux, nous fîmes la une des quotidiens et, chaque fois, les journalistes soulignèrent que tout se déroulait dans le plus grand calme.

Les semaines suivantes, le mouvement prit de plus en plus d'ampleur.

Toujours avec beaucoup de sang-froid, les étudiants opposaient à la ségrégation ancestrale leur volonté d'être simplement traités comme n'importe quel être humain. Ce phénomène se propagea comme une traînée de poudre. Et je trouvais fabuleux que de nombreux jeunes, dans d'autres villes de Caroline du Nord puis également en Virginie, envahissent les restaurants et les cafés, attendant avec patience que l'on veuille bien les servir.

Les dirigeants noirs des associations de défense des gens de couleur furent immédiatement alertés. Martin Luther King, en personne, avait tenu à nous rendre visite à Greensboro. Je contactai la NAACP pour organiser une réunion dans un amphi sur le campus. Quand il entra, un silence respectueux le salua. Nous nous levâmes tous en même temps et la salle explosa en applaudissements.

J'éprouvai une grande excitation à le revoir, mais je fus déçu qu'il ne me reconnaisse pas immédiatement. Lorsque je me présentai, il eut une seconde d'hésitation.

– Sam ! Oh, excuse-moi, mais tu as tellement changé ! Cela fait longtemps que l'on ne s'est pas vus. Alors, il paraît que ça bouge ici ? Eh bien, bravo ! Raconte-moi comment vous est venue l'idée.

Rien n'avait été réfléchi, il n'y avait pas même l'ombre d'une conscience politique. Juste le besoin de désobéir aux lois que nous subissions, la certitude que des changements pouvaient avoir lieu. Il fut impressionné par notre spontanéité et nous avoua :

– Depuis le fameux boycott des autobus, j'attendais qu'un autre mouvement populaire se mette en place. Il fallait que cela vienne de manière naturelle pour qu'il y gagne en force. Et le voilà. Pour moi, la priorité est de continuer la lutte pour le respect de nos droits civiques. Comme certains doivent le savoir, je passe beaucoup de temps à convaincre notre communauté de tout faire pour obtenir notre droit de vote. Quant à vous, il faut que vous réussissiez à faire plier les Blancs de ces restaurants, à les obliger à supprimer les salles réservées aux Noirs. Je suis venu vous voir pour vous apporter mon soutien et pour vous dire : « Surtout, surtout continuez ! »

Après avoir discuté avec des étudiants, il me prit à part.

– Sam, tu commences à avoir une petite expérience de ces actions non violentes. Souviens-toi, à

Montgomery, nous avions créé la MIA pour soutenir le boycott. Si tu t'en sens le courage, tu devrais réfléchir à regrouper toutes ces initiatives locales en une association. Elles n'en seront que plus solides si vous vous mettez tous ensemble. Et, par-dessus tout, ce sera plus facile pour vous mettre d'accord quant à la suite à donner.

– La suite? Mais nous n'en avons aucune idée. D'ailleurs, je vais vous avouer que nous nous demandons s'il est vraiment utile de continuer. C'est que l'on a des examens à passer!

Je réalisai soudainement quelles pouvaient être les conséquences de nos actions. Cela me dépassait! Le pasteur, un instant surpris, reprit:

– C'est vrai, il y a vos cours et vous avez besoin d'être tranquilles pour étudier! Moi aussi, il y a des moments où j'ai simplement envie de reprendre ma charge de pasteur et d'arrêter de m'engager dans des combats dont je ne vois pas toujours l'issue. Elles sont dures à traverser ces périodes de doute! On a envie de tout envoyer balader et de retrouver une petite vie paisible. Mais quand le pays tout entier est ébranlé par notre volonté de nous faire entendre, je me dis qu'il faut profiter de ces élans positifs qui nous sont donnés. À mon avis, c'est le moment.

– Je ne sais pas si j'en serais capable. La fac me

prend beaucoup de temps et... je n'y ai jamais songé. Mais promis, je vais y penser.

– Parfois, il ne faut pas trop réfléchir mais agir! À toi de voir. Si tu as besoin de conseils, téléphone-moi.

Cette discussion me trotta dans la tête, mais je n'arrivais pas à me décider. Je tenais à garder ma liberté, à avoir le choix de m'attabler avec mes copains dans un restaurant ou de travailler mes examens. Comme souvent, les événements me dictèrent la direction à prendre.

Cet après-midi-là, assis avec mes cinq amis à la terrasse d'un café, j'étais d'humeur maussade. Des badauds venaient régulièrement nous observer, certains pour nous encourager, d'autres, au contraire, pour se moquer de nous.

– Vous feriez mieux d'aller bosser, bande de fei-gnants, sifflaient des personnes âgées noires, effrayées que l'on parle encore de nous. Vous nous faites honte!

– Parasites! reprenaient des Blancs. Retournez donc dans les champs de coton. Vous mériteriez quelques coups de fouet!

Cela m'énervait de les voir rigoler et ricaner sans jamais se mouiller. De plus en plus d'étu-diants étaient menacés de prison. La police cra-quait, obligée d'intervenir chaque jour à la demande des patrons des brasseries. Ils nous priaient de sortir, parfois nous cédions mais la plupart du temps, nous les regardions tranquillement en leur objectant notre bon droit.

Quand trois policiers déboulèrent, gyrophares allumés, je murmurai à Jim:

– Cette fois-ci, je crois qu'on ne s'en tirera pas comme ça.

– Bof, ils vont bien partir, comme d'habitude.

Avant même que je puisse lui répondre, nous étions menottés, le nez écrasé sur la table. Jim, surpris, hurla. Il reçut un coup de matraque sur la nuque.

– Ça suffit, maintenant, cracha l'un des hommes, on en a assez de vos petits jeux qui nous empoisonnent l'existence. Allez, suivez-nous calmement.

– Mais de quel droit vous faites cela? tentai-je de dire.

– C'est un ordre officiel. Le chef de la police, tu connais? Eh bien, il a décidé de vous aider à réfléchir au frais, dans une cellule. T'inquiète pas, vous ne serez pas seuls.

Nous avons été embarqués tous les cinq. Dehors, d'autres étudiants, une cinquantaine environ, les mains liées dans le dos, attendaient dans plusieurs fourgons. Au poste, ils relevèrent nos identités et nous entassèrent à dix dans des cellules.

– Vous connaissez la règle, vous payez la caution de vingt dollars et vous êtes libérés. Il y a bien un moment où vous en aurez assez de débourser de l'argent. Votre famille sera prévenue demain.

– Et toi, le Blanc, je me demande bien ce que tu fais là! En attendant, bonne nuit, conclut un agent.

– Croyez-moi, je ne vais pas me gêner pour me plaindre de votre bêtise, tempêta John.

– Qui va t'écouter? ironisa un policier. D'ailleurs, viens voir un peu par ici.

John le suivit, un peu gêné. Quand il revint, il rigolait comme s'il avait fait une grosse farce. Il avait refusé de sortir, riant au nez du shérif qui le lui avait proposé. Au moment où la porte se refermait sur nous, je criai:

– Nos parents doivent être avertis ce soir, c'est notre droit.

– Pour une fois, on fera comme nous on l'a décidé. Vous ne faites pas la loi, ici. Il serait temps que vous le compreniez, jeta l'officier.

– Ils vont s'inquiéter! clama Jim.

– Dans ce cas, arrêtez vos bêtises. Ça arrangera tout le monde.

Ils nous laissèrent dans l'obscurité avec juste un pichet d'eau pour la nuit. Seuls trois bancs étaient fixés aux murs. Nous pouvions nous asseoir, mais impossible de nous allonger tous les dix. On décida de prendre du repos à tour de rôle. Je pensais à tante Rosa qui devait guetter mon retour. L'idée qu'elle puisse penser que j'avais pu fuguer comme Josh me minait. Je me levai brusquement et tambourinai contre la porte en m'égosillant:

– Bande de lâches! Esclavagistes!

– Calme-toi, ça ne sert à rien, me dit Tim. Ils ne bougeront pas.

J'observais mes compagnons qui somnolaient. Tous semblaient vivre la situation sereinement. C'est à cet instant que je compris ce que je devais faire.

– J'ai une idée, hé, réveillez-vous, je sais comment leur rendre la monnaie de leur pièce!

– Attends demain, me répondit John. On ne va pas passer la nuit à hurler. J'en parlerai à mon père à l'audience.

Je m'énervai.

– Sois réaliste et honnête. Tu es un fils à papa. Ton père s'occupera de toi, pas de nous.

– Comment peux-tu dire cela, alors que je suis là, avec vous? Tu oublies un peu vite qu'ils m'ont proposé de me libérer immédiatement et que j'ai refusé?

– Excuse-moi, je suis à bout. Mais il faut que je vous parle, maintenant.

Seuls des grognements ensommeillés me répondirent. Je haussai la voix:

– Mais, bon sang, écoutez-moi. J'ai une proposition à vous faire...

Le lendemain matin, la salle du tribunal bruissait des murmures de nos familles lorsque nous apparûmes. Le juge nous appela à tour de rôle, lisant d'une voix monocorde et atone les motifs de nos arrestations. Il terminait toujours par cette même phrase :

– Voulez-vous payer la caution de dix dollars ou restez-vous en prison ?

Il semblait tellement sûr de nos réponses ! J'attendais mon tour avec impatience. Il vint assez vite. Avant qu'oncle Albert n'ait le temps de sortir des billets de son portefeuille, j'intervins :

– Non, ma famille ne paiera pas. Je reste en prison pour les motifs que vous avez énoncés.

Le juge suspendit le geste de sa main qu'il tendait déjà vers mon oncle. Il prit une grande inspiration et soupira avec agacement.

– Pour quelles raisons, jeune homme, refusez-vous la liberté ?

– Une seule, monsieur le juge, le refus de me plier à vos méthodes injustes. Celles qui consistent à nous emprisonner pour des raisons mineures, à nous faire payer, puis à recommencer. Sans fin !

– Insolent, lâcha-t-il. Êtes-vous inconscient au point de refuser d'être libéré?

– Certainement pas, monsieur le juge, mais je suis surtout conscient d'être né noir dans un pays où mes droits ne sont pas respectés.

Le juge manqua de suffoquer. Dans la salle, j'entendis quelques remous, des raclements de pied, des rires étouffés. Un coup de marteau accompagna sa sentence.

– Deux mois fermes! Et la prochaine fois, je doublerai votre peine.

– Merci, monsieur le juge!

Je lorgnai oncle Albert. Il fit un léger signe de victoire et ses yeux brillaient de fierté. Quand arriva le tour de John, son père s'avança, agressif, vers le magistrat.

– Comment avez-vous pu oser enfermer mon fils? Tenez, les voilà vos dollars.

– Pas question, papa, s'interposa John. Je reste en prison moi aussi. Pour les mêmes motifs que Sam. Merci, monsieur le juge, de me donner l'occasion de m'engager dans une cause juste.

Furieux, le père de mon ami quitta la salle non sans avoir jeté un regard meurtrier à son fils. Des auditeurs riaient, d'autres, scandalisés, lui emboîtèrent le pas.

Au fur et à mesure des comparutions, la plupart

de mes camarades refusèrent de payer la caution. Les prisons allaient désormais regorger de Noirs ayant commis, comme seul délit, celui de demander à être servis dans un restaurant ou un café, dans les parties réservées aux Blancs. Nous mettions le doigt sur l'absurdité de ces situations.

Les journaux s'étaient emparés des faits et les montaient en épingle. Le maire de Greensboro redoutait les émeutes. Chaque jour, spontanément, des groupes de personnes blanches et noires manifestaient en silence devant l'hôtel de ville, demandant notre libération. Le climat dans la ville était électrique, tout pouvait dégénérer très vite.

Un matin, après deux semaines de prison, un représentant de la mairie est venu nous trouver dans notre cellule.

– Ça ne peut plus durer, il faut débloquer la situation. Nous comprenons vos revendications. Je vous propose un marché : nous vous relâchons tous et, en contrepartie, vous arrêtez pendant quelque temps d'occuper les restaurants. Et nous nous engageons à créer un comité biracial pour chercher une solution à vos problèmes.

Je l'aurais presque embrassé! C'était ce que nous voulions. Que l'on s'intéresse à notre cause et que, enfin, les choses bougent. Cependant, je fis semblant de réfléchir quelques minutes avant d'accepter.

Pour la première fois, des étudiants avaient fait plier une ville du Sud. Cette première victoire contre le pouvoir des Blancs me donnait des ailes. Oui, j'étais maintenant assez sûr de moi pour suivre les conseils de Martin Luther King: créer une association d'étudiants puisque ceux-ci n'hésitaient pas à se battre. Je tremblais d'excitation lorsque je téléphonai au pasteur pour lui annoncer la nouvelle. Il me félicita et accepta de parrainer le mouvement. Il me proposa immédiatement d'aider à rédiger les statuts de l'association et à écrire les tracts d'adhésion devant être distribués sur les campus des grandes universités. Je lui soumis un nom: le SNCC*.

– Bonne idée, s'enthousiasma-t-il immédiatement.

Je crois bien que n'importe quel nom lui aurait plu tant il était heureux! Puis, il reprit:

– Sam, je voulais te dire, j'ai toujours su que je pouvais compter sur toi. Un jour, tu verras, je sortirai de la scène et tu prendras la relève.

Je ne sus quoi lui répondre. Je pensais à mes parents, persuadé, à cet instant, qu'ils me soutenaient, où qu'ils soient.

Jim, Tim et Hugh adhérèrent tout de suite. Des contacts furent pris avec d'autres étudiants de villes

---

* SNCC: Student Nonviolent Coordinating Committee (Comité non violent de coordination des étudiants).

voisines et, au mois d'avril, le SNCC voyait officiellement le jour. Je fus nommé président pour la première année. Au fil des jours, les restaurants et les cafés acceptèrent sans sourciller de nous servir. Nous prenions de l'assurance, décidés désormais à mener notre action de plus en plus loin.

Tante Rosa et oncle Albert s'étaient, bien entendu, beaucoup inquiétés lorsque je leur avais expliqué mes projets.

– Je ne veux pas retourner faire des visites en prison, se plaignit tante Rosa. Cela a été si difficile de te voir en cage!

– C'est courageux de ta part, nota oncle Albert, mais j'ai bien peur que tu ne te mettes en danger. Même si tu as l'air confiant!

Une peur primitive les tenaillait, le Ku Klux Klan rôdait et terrorisait toujours la population des États du Sud. Je les rassurai, en argumentant que j'avais le soutien de Martin Luther King et des leaders noirs qui l'accompagnaient.

Mais ils restaient anxieux, surtout depuis la disparition de Josh. Pourtant, un soir, nous eûmes, par hasard, de ses nouvelles. Nous écoutions attentivement à la télévision un discours de Malcolm X, qui prônait la fin de la ségrégation « par tous les moyens nécessaires ». Il scandait devant la caméra: « Je suis l'homme le plus en colère de l'Amérique. »

Brusquement, tante Rosa pointa son doigt sur l'écran.

– Là, là, regardez, c'est lui!

À côté de Malcolm X, un peu en retrait, Josh semblait nous sourire.

1961 – L'année de mes dix-neuf ans

Cette deuxième année de droit me demandait beaucoup de travail et je jonglais difficilement entre l'association et mes cours. Jim, Tim, Hugh et moi-même ne nous quittions pas d'une semelle et John, notre cinquième comparse, nous avait tous surpris en nous suppliant d'adhérer à notre comité.

Le calme était revenu à Greensboro, mais nous savions que nous avions encore un long chemin à faire pour obtenir le respect de nos droits civiques. Dans beaucoup trop d'États, les Noirs ne pouvaient pas s'inscrire sur les listes électorales sans se soumettre à un questionnaire de vingt et une questions et interpréter un paragraphe de la constitution de l'État. Trop peu réussissaient car la plupart savaient à peine lire et écrire. Former la population noire à passer ce test était un travail de titans que nous étions prêts à entreprendre. Mais nous cherchions aussi une action immédiate pour nous stimuler.

Très régulièrement, je téléphonais à Martin Luther King qui était retourné seconder son père dans la paroisse d'Ebenezer à Atlanta, la ville où il avait démarré sa mission de pasteur. Je trouvais toujours un prétexte pour l'appeler, je n'avais pas assez d'argent pour aller le voir et il me manquait. En tant que parrain de notre association, il aimait donner son avis sur nos décisions, nos réflexions politiques. Mais ce que je recherchais avant tout, c'était son écoute et sa compréhension toute paternelle. Petit à petit, je commençai à lui faire des confidences et il a été la première personne à qui j'ai pu raconter la mort de mes parents. À travers mon récit, je tentais de me libérer de ce sentiment d'impuissance et de culpabilité de n'avoir pas pu les sauver. Ma voix tremblotait, pleine de larmes refoulées. Il me laissa parler sans m'interrompre, il n'existait pas de mots pour me consoler. La fois suivante, il me rapporta certains de ses souvenirs d'enfance, les brimades racistes qu'il avait subies.

– Comment faites-vous pour ne pas ressentir de haine? le questionnai-je. Moi, la mienne est tapie en moi!

– Parfois, quand ma colère monte, je me souviens d'une phrase que ma mère me répétait souvent : « Tu es quelqu'un, un être humain à part entière qui mérite d'être respecté. » Je me raccroche à cela en me disant que c'est valable pour tout le monde. Maintenant, ce serait malhonnête de ma part de dire que je n'ai jamais haï personne !

C'est au cours d'une de nos réunions hebdomadaires que Tim lança une idée qui allait bouleverser notre quotidien.

– J'ai entendu dire que les Noirs étaient toujours aussi mal accueillis dans les gares routières inter-États. On ne peut pas voyager du nord au sud sans être en danger. Certains chauffeurs refusent et trouvent n'importe quel prétexte pour que nous ne montions pas dans les bus. Quand ce ne sont pas les Blancs qui nous insultent. Moi, je me dis qu'il y aurait quelque chose à faire, comme aller vérifier par nous-mêmes ! Dans un premier temps, on pourrait témoigner et, ensuite, agir pour que cela change !

– Pourquoi pas ! rebondit John, on saura au moins à quoi s'en tenir.

– C'est un long trajet, fis-je remarquer, qui nous demandera beaucoup de temps !

– Nous ne sommes pas tous obligés d'y aller, reprit Jim. Un petit groupe suffira. J'ai bien envie de me dégourdir les jambes! Alors comment on fait?

– Vous pouvez partir tous les quatre pendant les vacances de Pâques, proposai-je, moi, j'ai un stage dans un cabinet d'avocats. Et j'assurerai la permanence ici.

Nous étions très excités à l'idée de mettre sur pied ce voyage. Le groupe des quatre devait aller prendre un bus à Washington, qui les emmènerait jusqu'à Montgomery. Je leur demandai de prendre des notes régulièrement afin de rendre compte fidèlement de ce qu'ils allaient vivre et observer. Ensuite, on pourrait en faire des articles et les diffuser dans la presse, à la manière d'un feuilleton. Comme d'habitude, j'avais prévenu Martin Luther King.

– Vous avez raison, il faut multiplier les initiatives de ce genre. Vous avez le vent en poupe, le succès du sit-in de Greensboro joue pour vous. Je tâcherai d'être là pour leur arrivée. Tiens-moi au courant, s'il y a un problème, la SCLC pourra toujours vous aider.

En les accompagnant au train, je regrettais un peu de ne pas partir avec eux.

– Donnez-moi de vos nouvelles le plus souvent possible.

– On te téléphonera à chaque étape, promis, me dit Jim.

Lorsque le train démarra, Tim, campé sur le marchepied, cria :

– En route pour le premier voyage de la liberté !

Il avait su trouver un nom génial à notre croisade.

Cette même semaine, j'eus une surprise. Josh, pour la première fois en un an, m'avait écrit une longue lettre. Il avait rejoint les Black Muslims après avoir rencontré Malcolm X dans un ghetto de New York. Visiblement, l'homme le fascinait et, me confiait-il, il envisageait de se convertir à l'islam, pour se sentir encore plus proche du mouvement.

Si tu voyais comment vivent les Noirs dans certains quartiers de New York ! Cette pauvreté est poignante. Partout, il y a la drogue, l'alcool, le chômage et, en face, l'indifférence des Blancs. Cela les arrange de nous voir sombrer. Mais ne t'inquiète pas, je ne touche pas à ces produits.

Bien sûr, rien ne nous est interdit, mais comme rien ne nous est accessible, nous restons dans la misère. Avec les Black Muslims, nous cherchons à obtenir un État indépendant pour les Noirs. Je suis sûr que c'est comme cela que nous nous en sortirons. Je sais que c'est une autre lutte que la tienne, mais peut-être qu'un jour nous nous rejoindrons. Je te laisse le soin d'expliquer mon engagement à tante Rosa et oncle Albert, tu auras les mots justes, j'en suis persuadé. Sache que je vous aime et que je ne regrette pas mon départ même si, parfois, vous me manquez terriblement.

Josh.

Je chiffonnai sa lettre en le traitant de lâche. De quel droit nous avait-il abandonnés pour rejoindre une cause qui prônait trop souvent la violence ? Comment pouvait-il oublier la foi dans laquelle il avait été élevé, les êtres qui lui avaient tant consacré de leur vie ? Je crachai ma colère en lui écrivant une lettre pleine de mots durs et vengeurs. Puis, au fil des phrases, son visage confiant de petit garçon s'imposa. Je me rappelai ce passé douloureux, la mort inhumaine de nos parents, qui avait à jamais marqué nos destins. Josh était mon frère et, quoi qu'il fasse, je l'aimais.

Je ne fis pas lire sa lettre à oncle Albert et tante Rosa et je n'envoyai jamais la mienne. Mais je trouvai pour eux les arguments et les mots qui expliquaient son choix.

– Il n'a jamais été comme tout le monde, cet enfant, soupira oncle Albert. Toujours rebelle, prêt à foncer, mais sûrement avec un grand cœur sous ses airs bourrus. Au fond, il ressemble à votre père.

– Qu'il soit heureux, c'est tout ce que je souhaite, reprit tante Rosa.

– Dis-moi, tu penses qu'il viendra nous voir un jour ? demanda oncle Albert.

– Bien sûr, dès qu'il le pourra. Dans sa lettre, il parle d'un prochain séjour à Greensboro. Dans les mois qui viennent.

Je mentis sans rougir, mais je me doutais qu'il en serait autrement.

« ÉMEUTES À LA GARE ROUTIÈRE DE LA NOUVELLE-ORLÉANS », titraient les journaux de ce mois de mai. Pensant immédiatement à mes amis, je me précipitai, le cœur battant, au kiosque le plus proche et le dévalisai des différentes éditions du jour. Scandalisés, les journalistes racontaient comment un groupe de jeunes voyageurs avaient été sauvagement agressés dans une salle d'attente, par des hommes cagoulés. L'un des étudiants avait été hospitalisé dans un état critique. Aucun nom n'était donné, et je tentai vainement de reconnaître les visages de mes compagnons sur les photos grises du journal. Je crus identifier Jim, puis Hugh et enfin John sans en être toutefois certain.

Je m'attelai à téléphoner à tous les hôpitaux de La Nouvelle-Orléans. Les standardistes me faisaient attendre de longues minutes pour ensuite me renvoyer ailleurs. Ce n'est qu'au cinquième appel que j'eus la confirmation qu'un blessé grave était en service de réanimation.

– Je ne suis pas en mesure de vous donner le nom du malade, répondit l'infirmière. La police l'a interdit.

– Mais dans quel état est-il ? insistai-je.

– Pas brillant, je ne peux pas vous en dire plus. Rappelez plus tard, je vous passerai le médecin. Pour le moment, il est débordé.

Je ne pus jamais l'avoir au téléphone. Cette nuit-là fut l'une des plus angoissantes de ma vie. J'avais posé le combiné près de mon lit, espérant un appel de l'un d'entre eux et je passai des heures vides à attendre qu'il sonne. Jusqu'au petit matin où j'entendis la voix très lointaine de John :

– Sam, ils sont devenus fous. Une vraie boucherie. Ils nous ont attaqués avec des barres de fer, des crics et nous ont massacrés jusqu'à ce que l'on soit à terre. Heureusement, certains ont pu s'enfuir.

Puis dans un hoquet :

– Sam, il faut que je te dise. Jim est à l'hôpital. Mal en point. Les médecins parlent de perforation du poumon, d'une côte brisée. Je n'en sais pas plus.

– Oh, non ! Quand je pense que je ne suis pas

avec vous ! Je vais appeler ses parents. Et les autres ? Il faut que vous rentriez tout de suite.

La ligne grésillait, j'eus du mal à entendre sa réponse :

– Pas question... Continuons notre voyage... Rappellerai...

– Non, revenez, hurlai-je au bip de la ligne, non !

Ma voix était mal assurée lorsque je parlai à ses parents. Ils m'apprirent que Jim devait être admis à l'hôpital de Greensboro dès que son état lui permettrait de voyager en ambulance. Ils s'arrangeraient pour venir de Montgomery et loger dans une pension de famille. Jim avait refusé de revenir dans sa ville natale.

– Quelle folie, mais quelle folie ! répétait son père. J'avais pourtant essayé de l'en dissuader. Et voilà le résultat.

Je ne sus pas quoi lui répondre devant l'absurdité des faits. Je ne trouvai aucun mot de réconfort, j'en cherchais déjà pour moi-même. Chaque jour, je leur téléphonais pour prendre des nouvelles de Jim. Quinze jours plus tard, il fut rapatrié à Greensboro. Je courus lui rendre visite.

Abattu, le visage creusé par la souffrance, Jim parlait peu. Il semblait habité par des cauchemars que nul ne pouvait soulager. D'une voix éteinte, il me confia quelques bribes de son agression :

– Ils étaient six hommes, cagoulés. Je ne voyais que leurs yeux, des yeux d'hyènes affamées. Deux d'entre eux m'ont tenu les bras tandis que les autres s'acharnaient à me frapper à coups de barre de fer. Ils riaient, m'insultaient, me traitaient de « pourriture de Négro ». Ensuite, c'est le trou noir. Je me suis réveillé à l'hôpital.

Sa main se posa mollement sur la mienne.

– Personne n'est intervenu ?

– La plupart des gens se sont cachés. La trouille. Si, il y a bien eu quelques inconscients qui ont essayé de s'interposer. Mais, eux aussi, ils ont pris des coups. Les autres étaient trop nombreux et enragés.

Il ferma les yeux, sommeilla un temps puis demanda :

– Les copains ? Tu as des nouvelles ?

– Ils sont en route pour Montgomery. Je les ai régulièrement au téléphone.

– Comment ça se passe ?

– Ils essuient des insultes, des crachats, mais rien de plus. Plus de violence physique pour le moment.

Je n'osai pas lui raconter que, à Nashville, ils avaient été asphyxiés par des bombes lacrymogènes lancées dans l'autobus.

– Ils doivent arriver dans deux jours. Ils ont hâte de te rendre visite. Et j'espère que tu seras sur pied pour la grande fête que nous allons organiser sur le campus pour votre retour.

Il eut un pauvre sourire.

– Sûr, répondit-il. Je serai là. Tu as prévenu Martin Luther King et les autres de la SCLC ? J'espère bien qu'ils vont réagir !

– Ne t'inquiète pas, ils m'ont promis d'être à Montgomery dès demain pour les accueillir. D'ailleurs, je les rejoins. Et, quand on reviendra, champagne ! Faut pas se laisser abattre.

Je lui arrachai enfin un rire.

– T'as raison, continuons. Même à n'importe quel prix.

Je fis le trajet jusqu'à ma ville natale en m'inventant mille scenarios catastrophes. Comment les voyageurs de la liberté allaient-ils être accueillis par la population ? Montgomery tenait dans ma mémoire une triste place. Je me rassurais en me disant que nous serions nombreux à les attendre.

Malheureusement, cela se passa comme je l'avais craint. Massées à la gare routière, trois cents personnes, brandissant des pancartes peintes de têtes de mort, scandaient leur haine. Un rempart inhumain bâti sur la fureur de quelques Blancs nous empêchait d'aller jusqu'à eux.

– À mort les Négros !

– Lynchez-les !

– Trahison égale pendaison.

Aucun des voyageurs n'osait sortir de l'autobus. S'approcher trop près de cette meute hurlante tenait du suicide. Je me cachai derrière un groupe de badauds. Quand enfin l'un d'entre eux eut le courage d'ouvrir une des portes, cette foule se rua vers lui. Je reconnus Tim et je priai pour qu'il retourne se cacher derrière un siège de l'autobus. Des objets furent lancés sur les vitres du véhicule et, soudain, une centaine de personnes agrippèrent le bus pour le faire basculer. Puis, ils tapèrent comme des fous sur le capot, sur les flancs, certains allumèrent même des torches pour mettre le feu. Un véritable carnage allait avoir lieu sous mes yeux et j'étais totalement impuissant. Je me demandai où étaient passés Martin Luther King et ses compagnons. Mais il y avait une telle panique qu'il était impossible de distinguer qui que ce soit. Des passants hurlaient de terreur, une femme s'évanouit.

– La police, où est la police ? criait-on dans la foule.

– On ne peut pas laisser faire cela !

– D'accord, mais ils sont armés. Comment voulez-vous que l'on intervienne ?

Les voitures des policiers arrivèrent vingt minutes plus tard. Déjà, un des pneus de l'autobus brûlait et quelques blessés parmi la foule gémissaient. À coups de matraque, ils dissipèrent ceux des manifestants qui restaient, les autres ayant fui en entendant les sirènes.

Je tombai dans les bras de mes amis, nous mêlions nos rires et nos larmes en nous étreignant. Ils n'avaient pas abandonné en cours de route! J'admirais leur courage.

– D'autres prennent le relais, dans différentes villes du pays. Il faut continuer ces voyages de la liberté tant que nous n'aurons pas gagné, tonna John.

– Évidemment, pas question de s'arrêter, continua Hugh, mais sans moi. À d'autres de prendre le relais. J'ai bien cru que nous n'allions jamais rentrer vivants.

Martin Luther King fendit la foule, jouant des coudes pour parvenir jusqu'à nous. Ses mains tremblaient, son visage était bouleversé par la scène que nous venions de vivre.

– Mon Dieu, ils n'arrêteront donc jamais! s'exclama-t-il. Encore des victimes innocentes et pour quelles raisons? Jusqu'où ira-t-on dans la violence? Rien de cassé les garçons?

– Pour nous, plus de peur que de mal, répondit John. Mais j'ai bien cru que nous allions brûler vifs dans le bus.

– C'est sûr, vous revenez de loin. Sam m'a tenu au courant jour après jour. Je ne sais pas si cela vous a beaucoup aidés mais j'ai prié pour qu'il ne vous arrive rien, dit-il.

Puis changeant de ton :

– Je suis passé hier à l'hôpital où j'ai pu parler avec Jim. Il m'a raconté certains moments de votre voyage. Alors vous, rien ne vous arrête !

Un attroupement se forma autour de lui. Une femme sortit spontanément un morceau de papier, demandant un autographe. Il nous regarda, comme étonné par le silence qui s'était installé. Sa venue suscitait un respect muet. Il prit nos mains, les unes après les autres et les serra fortement dans les siennes. Son sourire ému s'adressait à chacun d'entre nous.

– Vous avez su garder la tête haute face à la violence. Vous avez su également ne pas répondre par des coups. Je sais combien résister sans vous battre a dû être difficile, car l'envie n'a pas dû vous manquer !

– Oh, que oui, répondit Hugh, mais nous n'étions pas armés et ils étaient trop nombreux ! Donc, la question ne se posait pas ! Cela valait mieux pour eux.

Martin Luther King rigola franchement.

– Au moins, vous êtes honnêtes. Moi aussi, je

dois vous avouer que, plus d'une fois, j'ai été tenté de répondre et de frapper !

Puis il poursuivit devant leurs mines stupéfaites :

– Pourquoi je serais différent de vous ? Nous avons en chacun de nous une part de violence. Ce qui est important, c'est d'apprendre à la canaliser pour suivre au plus près ses propres convictions. Je le répète assez souvent dans mes prêches. Maintenant, allez vous reposer et demain soir, je compte sur vous pour témoigner de ce premier voyage de la liberté à l'église de Holt Street.

J'avais réservé deux chambres dans un petit hôtel du centre-ville. Épuisés, John, Tim et Hugh dormirent plus de vingt heures d'affilée.

Pendant ce temps, je partis me balader dans le quartier de mon enfance. Notre maison était toujours là, la façade avait été repeinte. J'en fis le tour, un peu nostalgique. Des éclats de voix d'enfants venaient du premier étage, de notre ancienne chambre à Josh et moi. Un instant, je nous revis en train de jouer aux petites voitures. Je me détournai, fuyant les images heureuses et je marchai jusqu'au pavillon de Lili. J'hésitai longuement avant de sonner à la porte. J'eus du mal à reconnaître sa mère, je la trouvai changée. Elle me fixa pendant quelques secondes puis s'exclama :

– Sam, je suis si contente de te revoir ! Je me suis

demandé, un moment, si c'était bien toi! Mon Dieu, que tu as forci! Tu sais, j'ai de tes nouvelles par les paroissiens. Ils m'ont raconté tout ce que tu as fait. Eh bien dis donc, tu en as parcouru du chemin! Mais rentre donc prendre un café! Tu vas pouvoir m'en dire un peu plus.

Je retrouvai le salon tel que je l'avais connu. Sur le manteau de la cheminée, je remarquai tout de suite une photo prise en brousse d'une jeune femme souriante, entourée d'enfants au ventre rebondi.

J'attendis un instant avant de poser ma question:

– C'est Lili? Elle est toujours en Afrique?

– Toujours! Elle a passé son diplôme d'infirmière là-bas et ne veut pas rentrer. Elle dit que la vie est plus facile en Afrique, qu'au moins elle se sent chez elle. Elle travaille dans un dispensaire et vaccine des enfants.

– Elle a l'air tellement heureuse, murmurai-je pour moi-même.

Sa mère devina.

– Ah, Sam, sûr qu'elle t'a aimé, mais je crois que les événements du lycée l'ont beaucoup trop marquée. Il fallait qu'elle parte pour oublier et pouvoir commencer une nouvelle vie.

– Au fond, elle a modifié son destin. Elle ne s'en

serait peut-être jamais sortie si elle était restée ici.

– C'est ce que je me dis quand elle me manque trop. Et toi? Dis-moi pourquoi tu es revenu dans notre ville.

Je restai chez elle jusqu'en fin d'après-midi, lui retraçant le voyage de la liberté, l'arrivée spectaculaire à Montgomery. Elle me dit avoir suivi dans la presse les différents événements et envoyé les coupures de journaux à Lili.

– Dès demain, je lui écris pour lui donner tous ces détails. Et lui raconter ta visite, bien sûr. Tu sais, elle me demande encore de tes nouvelles!

En la quittant, j'eus le sentiment d'avoir renoué quelques fils du passé. Que serait devenue notre histoire si je n'avais pas quitté Greensboro? Depuis la fin de notre relation, je n'avais eu qu'une ou deux petites copines, le temps d'une soirée.

J'avais trouvé mes amis changés. Une tristesse dans la voix, une amertume dans le regard. Leurs paroles se bousculaient pour me raconter leur périple. Sur le chemin de l'église, des hommes et des femmes commentaient l'arrivée effroyable de l'autobus. Beaucoup d'entre eux y avaient assisté et s'en voulaient de ne pas avoir osé intervenir. Moi, je regrettais de ne pas avoir participé au voyage de la liberté mais je ne l'avouai pas à mes compagnons. Je me sentais lâche. Pourquoi les avais-je poussés à l'entreprendre alors que je n'avais pas été capable de les accompagner ?

Jamais je n'aurais cru qu'une église puisse contenir autant de personnes. La nef et les allées étaient pleines à craquer. Nous étions certainement plus de mille à nous être rassemblés là. Quand Martin Luther King est entré, nous étions tous debout à crier « liberté » en tapant dans nos mains. Une voix cristalline d'enfant s'éleva, entonnant un negro spiritual repris dans l'assistance par des voix de basses. Puis Martin Luther King entama *We shall overcome* (*Nous vaincrons*), hymne du SNCC, et les chants se mêlaient et se répondaient en une harmonie divine. La réunion avait pris un air de fête populaire et notre liesse nous empêcha d'entendre le grondement extérieur.

Dehors, toutefois maintenus par la garde nationale et quelques policiers, beaucoup de Blancs de Montgomery menaçaient de nous faire la peau en crachant sans relâche leur venin et leur fiel.

Chaque fois qu'un petit groupe tentait une sortie, il était repoussé par des jets de pierres. Impossible de quitter l'église. Martin Luther King monta en chaire.

– Au risque de nous faire tuer, nous ne pouvons pas partir. Je vous conseille donc d'attendre ici que la police calme et disperse les manifestants.

Nous pensions que cela n'allait pas durer trop longtemps. L'un après l'autre, les voyageurs de la liberté ont évoqué leur expérience. Beaucoup dans l'assemblée intervinrent et leur posèrent des questions, le plus souvent sur l'attitude, les réactions des Blancs dans le nord du pays. Nous oubliâmes assez vite que nous étions enfermés. Pourtant, je surpris deux ou trois fois Martin Luther King se faufiler vers la porte et parler avec un lieutenant.

Au bout de deux heures, certaines personnes commençaient à s'impatienter, à vouloir rentrer chez elles. Des pleurs d'enfants couvraient les conversations. Martin Luther King nous parla :

– Je ne crois pas que nous allons pouvoir passer la nuit chez nous, bien au chaud dans nos lits. D'après les policiers en faction dehors, ils ne sont pas assez nombreux pour faire partir la foule. Il faut nous préparer à rester ici, dans l'église, sous une divine protection.

Il y eut quelques rires nerveux, mais la plupart des gens s'irritaient :

– Il faut trouver un moyen de sortir.

– Comment va-t-on dormir ?

– Et les enfants ?

– C'est honteux ! On ne peut pas accepter ça !

Martin Luther King passa de groupe en groupe,

proposant des solutions pour calmer les enfants, apaisant les plus angoissés. Nous nous organisâmes pour que chacun puisse s'allonger. Des mères racontaient des histoires à leurs petits, dans un coin un groupe priait, certains entamèrent une partie de cartes.

La nuit s'écoula, interminable et, au petit matin, seuls quelques manifestants épuisés d'avoir passé de longues heures dehors nous huèrent mollement lorsque nous sortîmes de l'église.

Les voyages de la liberté continuèrent, malgré les nombreuses arrestations, les jets de pierres sur les autobus, les passages à tabac trop réguliers. Certains jeunes furent envoyés dans des prisons d'État, soumis aux travaux forcés, fouettés s'ils n'accéléraient pas la cadence. Les journaux en faisaient régulièrement leurs gros titres. Le gouvernement Kennedy, élu l'année précédente, ordonna que ces voyages soient placés sous la protection de la police fédérale. Au fil des jours, une grande pression s'exerçait sur l'État. Quelque temps après, des négociations furent engagées avec la Commission du commerce interÉtats afin d'abolir la ségrégation dans les gares routières et les autobus. En septembre 1961, nous étions gagnants! Nous, les jeunes de Greensboro, avions déclenché un événement de portée nationale!

J'informai immédiatement Jim qui, de l'avis de

tous, avait été au départ de ce mouvement.

– Cela a été un coup de génie! le félicitai-je.

– Ou peut-être un pur hasard, un coup de dés chanceux! J'ai dû être inspiré ce jour-là.

Cette nouvelle lui mit du baume au cœur. Après deux mois d'hospitalisation, il était parti en maison de repos à la campagne, non loin de Greensboro. Son poumon droit avait été méchamment perforé et il avait des difficultés à marcher quelques mètres sans se sentir essoufflé. Les médecins avaient prévenu qu'il aurait besoin de plusieurs mois de convalescence avant de se rétablir. Son année universitaire était fichue.

J'allais régulièrement lui rendre visite avec Tim, Hugh et John. Nous essayions de lui remonter le moral en lui racontant les déboires de Hugh qui était amoureux d'une étudiante en lettres. Quand nous le quittions, nous nous doutions bien qu'il broyait du noir.

Pendant les semaines suivantes, je vécus sur un petit nuage. J'avais réussi mes examens de fin d'année et la vie sur le campus était plutôt joyeuse. Durant les vacances, un cabinet d'avocats de la ville avait accepté de m'engager comme secrétaire. Je répondais au téléphone, triais quelques papiers, jetais un coup d'œil sur des dossiers et commençais à apprendre certaines ficelles du métier de juriste. Je me sentais comme un poisson dans l'eau.

Mon euphorie ne dura pas longtemps. Un matin, début octobre, tante Rosa et oncle Albert reçurent une lettre à en-tête du département de la police de New York. Ils avaient attendu que je rentre de cours pour me la donner à lire. Ils avaient refusé de l'ouvrir avant mon arrivée. Mes doigts tremblaient lorsque je déchirai l'enveloppe. Je parcourus rapidement les quelques lignes, mais je ne pus la lire jusqu'à la fin tant mes larmes m'aveuglaient. Les gémissements de tante Rosa se transformèrent en un long sanglot la secouant tout entière et oncle Albert se terra dans son fauteuil, le regard fixe, silencieux. Seul le tremblement de ses lèvres dévoilait sa détresse.

Je n'arrivais pas à me calmer et je hurlais de chagrin. Des mots incohérents se bousculaient dans ma tête et je ne parvenais pas à leur expliquer sans balbutier comment Josh avait trouvé la mort. Poignardé. Nous restâmes toute la nuit pelotonnés tous les trois sur le canapé, chacun muré dans sa douleur.

Le lendemain, hagard, j'appelai les policiers de New York pour faire rapatrier son corps. Ce qu'ils me racontèrent me tétanisa tant sa mort était absurde. Josh, dans un des quartiers noirs de la ville, avait été pris dans une bagarre entre deux gangs opposés. Il rentrait tout simplement chez lui et s'était trouvé là, au mauvais moment.

La bière arriva scellée et oncle Albert insista pour qu'il soit posé dans le salon, sur deux tréteaux. Tante Rosa voulait veiller son neveu toutes les nuits, jusqu'au jour de l'enterrement. Elle disposa des chandeliers à la tête du cercueil et une photographie de Josh sur un guéridon, juste à côté.

Je ne pouvais pas accepter que mon frère fût dans cette boîte, sans vie et, révolté, je refusai de prier avec eux dans cette ambiance sinistre. Je n'avais pas pu lui dire au revoir. J'aurais tant voulu caresser une dernière fois son visage. Je ne supportais pas non plus la peine de mon oncle et de ma tante. Ils erraient entre le salon et leur chambre, comme deux fantômes. Jusqu'au jour de la cérémonie, je m'employai à fuir la maison. Josh devait reposer près de nos parents, à Montgomery.

L'église de Holt Street était pleine à craquer. Apprenant la nouvelle, Martin Luther King avait tenu à officier lui-même. Tous mes amis m'entouraient, même ceux qui ne l'avaient pas connu. Je tombai dans les bras de Jim qui m'accueillit tendrement.

Je murmurai :

– Mon frère, pourquoi lui et pas un autre ?

Ses copains avaient fait le déplacement depuis New York. Parmi eux, caché derrière des lunettes noires, Malcolm X. La venue du leader des Black Muslims souleva des murmures étonnés, parfois méfiants, dans l'assistance. Il resta dans un coin sans parler à quiconque et disparut à la fin de la cérémonie. Je savais que Martin Luther King avait refusé plusieurs débats avec lui et qu'il n'était pas le bienvenu dans le Sud. Mais je le remerciai intérieurement d'avoir été présent. Cela prouvait que la communauté noire, du nord au sud, se serrait les coudes devant la mort.

Je ne me souviens pas très bien de la cérémonie, je flottais dans un cocon de détresse. Au moment où le cercueil fut emmené vers le cimetière, l'assemblée se leva pour crier « liberté ».

Je me rappelai, à cet instant, avoir confié à Josh, quatre ans auparavant, mon rêve de devenir juge. Secrètement, devant sa tombe, je lui fis la promesse d'y parvenir, quoi qu'il m'en coûte.

1963 – L'année de mes vingt et un ans

À ce moment-là de ma vie, je rêvais d'avoir des journées de plus de vingt-quatre heures! Entre les cours, le SNCC et les copains, je n'avais pas une minute à moi. Jim, rentré de sa longue hospitalisation, était de plus en plus amer. L'agression dont il avait été victime l'avait rendu enragé contre les ségrégationnistes. Il en faisait une affaire personnelle, mais doutait de l'utilité des actions collectives. Il restait un peu à l'écart, refusant de nous accompagner lorsque nous faisions des conférences dans des lycées, des maisons de jeunes pour recruter de nouveaux adhérents.

Pour cette quatrième année de droit, j'avais choisi comme sujet de mémoire de fin de cycle « Le droit de vote chez les Noirs des États-Unis ». C'était un des combats phares des différentes associations de notre communauté. Je craignais de m'attirer des critiques, voire un refus net du jury, mais je consacrai une grande partie de mon temps à mettre au point mes arguments. Fin mars, je commençais à rédiger mon dossier et j'étais plutôt content de moi.

Oncle Albert et tante Rosa se remettaient difficilement du décès de Josh. Ils avaient délaissé leurs activités de militants et passaient de longues journées à trier des photos, des lettres, conservant avec dévotion les articles de journaux racontant l'accident de Josh. Des cadres de lui enfant et adolescent couvraient les murs du salon. Ils se repliaient sur leur peine, refusant toutes les invitations à dîner, eux qui, avant ce drame, avaient tant aimé sortir. Je n'avais pas imaginé qu'ils puissent réagir ainsi. Cela m'agaçait et j'avais envie de les bousculer pour qu'ils se ressaisissent comme, moi, je tentais de le faire.

Nos relations s'étaient distendues. Je n'osais pas leur dire combien je souffrais, mais aussi combien j'avais besoin de continuer à vivre. Peu à peu, nous nous éloignâmes et, lorsque Jim me proposa de prendre un appartement en colocation avec nos trois autres amis, je n'hésitai pas. J'allais enfin pouvoir rire et m'amuser sans complexe au lieu de supporter leurs longs silences lourds d'amertume et de chagrin. Ils acceptèrent facilement mon désir d'indépendance. Ainsi ils n'auraient plus à endurer ma vitalité.

Un soir, Tim déboula en trombe dans l'appartement.

– Je reviens du local où j'étais de permanence. Il paraît que cela va bouger. Devinez qui a téléphoné ?

– Shirley à qui tu fais les yeux doux depuis des mois ?

– Ou alors Marilyn Monroe dont tu rêves toutes les nuits ?

– Non, Kennedy ! Vous savez bien que nous sommes connus dans l'Amérique entière !

Tim, navré, secoua la tête.

– Arrêtez, je suis sérieux. Cela avait l'air très important, une petite bombe qui risque de faire du bruit. C'était Martin Luther King et vous savez pourquoi ? Parce qu'il projette une grande action à Birmingham. Il avait l'air très excité. Mais il ne m'en a pas dit plus. Sam, il faut que tu le rappelles le plus vite possible, il veut te parler personnellement.

Birmingham ! Cette ville d'Alabama avait une sinistre réputation : celle d'être la plus raciste et la plus intolérante du sud des États-Unis. Le Ku Klux Klan y avait les mains libres, le chef de la police,

Eugene Connor, surnommé Bull Connor, était un de leurs sympathisants. Les maisons, les églises et les magasins de la communauté noire étaient si souvent plastiqués que Birmingham avait reçu le surnom de Bombmingham.

Je le rappelai immédiatement. Martin Luther King me confia la décision prise par la direction de la SCLC.

– Nous voulons nous attaquer au bastion de la ségrégation. Il faut porter un coup fatal au racisme et de façon radicale ! Bien sûr, cela bouge ici et là, dans le pays, mais il faut frapper de plus en plus fort. Symboliquement, cette ville est parfaite.

– Et vous comptez faire quoi ? Des manifestations, des sit-in ?

– Entre autres et plus encore. Je vais t'expliquer. Nous allons mettre au point un manifeste qui s'appellera le projet C (Confrontation) et qui exigera la fin de la ségrégation dans les magasins et les restaurants, des améliorations des conditions de travail des Noirs et des formations pour eux. Et, en dernier lieu, la création d'un comité de discussion entre les deux communautés. Donnons le coup de grâce à la discrimination dans la vie de tous les jours. Nous arrêterons nos actions lorsque nous serons totalement entendus sur ces trois points. Comme pour le boycott de Montgomery. Et cette fois-ci encore, il est indispensable d'avoir des résultats concrets.

– C'est un projet audacieux et ambitieux ! Et nous, qu'est-ce qu'on peut faire ?

– Déjà nous soutenir, bien entendu, par des comptes rendus réguliers au sein du SNCC. Il faudra en inonder vos antennes ! Mais toi, personnellement, j'ai un service à te demander.

Je répondis sans réfléchir :

– Je suis prêt à tout.

– Attends un peu de savoir ! J'ai besoin de toi, de tes connaissances juridiques. Comme tu le sais, les tribunaux peuvent interdire à n'importe lequel d'entre nous de manifester, d'agir, si la municipalité porte plainte devant un juge. Lever cette interdiction demande du temps, des démarches devant un autre tribunal et nous bloque dans nos actions. Donc, nous voulons à nos côtés une bonne équipe d'avocats et d'étudiants en droit pour nous aider à monter notre défense. Serais-tu d'accord pour en faire partie ? Tu dois savoir que cela va demander toute ton énergie et certainement pendant plusieurs semaines.

Si j'acceptais, j'allais perdre une année d'études et être obligé de quitter Greensboro pour Birmingham. Combien de temps allais-je devoir consacrer au projet C ? Et pour quels résultats ?

– Je dois vous répondre tout de suite?

Je sentis une pointe de déception dans sa voix.

– Non, réfléchis avant de prendre une décision.
Mais disons que tu me donnes une réponse après-
demain pour que l'on ait le temps de chercher une
autre personne si tu refuses. L'opération commence dans quelques jours.

Il raccrocha brutalement, ne me laissant pas le
temps de poser d'autres questions.

Quand je rentrai à l'appartement, je devais faire
une drôle de tête.

– Alors, raconte-nous, demanda Jim. On dirait
que tu as vu le diable!

– À peu de chose près, oui!

La discussion avec mes amis fut très animée. Au
fur et à mesure que j'argumentais en faveur de mes
études, ils démontaient mes propos, me laissant
entendre que je n'avais pas le choix.

– Tu ne peux pas te défiler, me soutenait Tim.
Qu'est-ce qu'une année de fac face à la lutte que
nous avons commencée il y a des années? Ce n'est
pas un drame. Ton mémoire, tu le finiras l'année
prochaine!

– Après ce qu'a vécu Jim, tu ferais marche
arrière? Regarde, il se débrouille très bien, même
avec le retard qu'il a pris. Attends, j'espère bien
que tu vaux autre chose! surenchérit John.

– Laissez-le tranquille! intervint Jim. C'est à lui seul de prendre la décision! Vous savez très bien ce que signifient ces engagements!

Personne ne releva. Il semblait perdu dans ses souvenirs.

– D'accord, j'accepte. Mais je devais rendre mon mémoire fin juin. Je l'ai pratiquement terminé. Et il va falloir me replonger dedans après des semaines d'interruption! Quelle guigne!

– Qu'est-ce qui t'arrive? s'énerva Hugh. Tu n'as jamais été une poule mouillée jusqu'à présent! Tu oublies un peu vite les leçons que tu donnes aux plus jeunes.

Ces mots me rappelaient les colères de Josh. Une grosse boule dans la gorge m'étouffait. J'avais l'impression d'être poussé à agir contre ma volonté, que l'on m'obligeait à perdre un temps précieux sur mon travail personnel. Pour la première fois, ma décision était induite par les autres. À la limite, mes amis me forçaient à partir! J'allais à Birmingham sans être convaincu d'avoir raison de mettre de côté cette année d'études. Je savais pour l'avoir vécu que ce genre d'action allait me prendre beaucoup de temps. Seul Jim avait eu l'air de me comprendre, mais nous n'avions pas pris la peine d'en reparler.

Les habitants de Birmingham étaient racistes et arrogants. Les panneaux « Interdit aux Noirs » et « Réservé aux Blancs » s'affichaient dans tous les lieux publics. Le gouverneur de l'État, George Wallace, élu en début d'année, n'avait pas hésité à déclarer : « Ségrégation aujourd'hui, ségrégation demain, ségrégation pour toujours. » L'ambiance en ville était exécrable et révoltante. Les hommes du Klu Klux Klan faisaient la loi sans jamais être inquiétés par la police. Ils étaient incontrôlables et insaisissables, leurs méfaits restaient impunis car ces hommes-là étaient protégés en haut lieu.

Martin Luther King et les leaders de la SCLC avaient attendu la fin des élections municipales pour commencer les manifestations et les sit-in. J'arrivai en ville début avril.

Les employés noirs, menacés par leurs patrons, avaient peur de perdre leur emploi et les marches s'organisaient mollement à l'heure des repas, pour qu'ils puissent ensuite retourner travailler.

J'avais l'impression d'être venu pour pas grand-chose. Les manifestations amenaient peu de monde, une cinquantaine de personnes à la fois, pas plus. Les Noirs étaient terrorisés à l'idée des représailles. Menacés de mort par les hommes du Ku Klux Klan, ils ne bougeaient pas. Certaines bicoques avaient été incendiées, des voitures brûlées, autant d'ultimatums qui effrayaient la population.

Avec moi, il y avait une jeune stagiaire, July, étudiante à La Nouvelle-Orléans. Elle projetait de devenir avocate. Elle avait accepté de venir sur le terrain afin de présenter un rapport de stage *in situ*. Nous étions tous deux logés chez une vieille dame, en centre-ville. Nos chambres étaient si petites et si tristes que nous préférions nous coucher le plus tard possible. July m'entraînait dans de petits bars et critiquait pendant des heures la population de Birmingham, qu'elle jugeait faible et lâche.

– Il faut faire du porte-à-porte, parler aux gens, les pousser à descendre dans la rue.

– Impossible. Cela va nous prendre énormément de temps et d'énergie.

– Tu es trop raisonnable, Sam, me lançait-elle. Dans ce genre de situation, il faut foncer et non pas agir rationnellement.

– Qu'est-ce que tu en sais ? Tu as de l'expérience ? ironisais-je.

Elle se renfrognait, sans rien répondre. Elle avoua militer depuis peu au sein du SNCC, mais je n'en savais pas plus. Ses phrases péremptoires m'irritaient et me stimulaient tout à la fois. Cependant, j'admirais son courage. Dans chaque manifestation, elle prenait le porte-voix pour scander

« plus de ségrégation » ou « nous gagnerons », sans jamais baisser les yeux devant les insultes des badauds.

Ce n'est qu'au bout de quatre jours que les événements s'accélérèrent. Enfin, car nous commencions à tourner en rond. Martin Luther King et d'autres organisateurs avaient reçu un ordre du juge exigeant de ne plus manifester sous peine d'emprisonnement. Ce qu'avait redouté le pasteur arrivait.

Les avocats se réunirent. Martin Luther King, très calme, ne posait aucune question aux juristes. Sa décision était déjà prise.

– Je n'ai pas fait ce choix à la légère. Il n'est pas question, pour moi, de me plier aux ordres de ce tribunal qui lui-même obéit au bon vouloir des ségrégationnistes. Donc, je me fiche de cette injonction raciste.

– Ce sera la prison, alors, répliqua un des avocats.

– Oui, je commence à être un habitué des prisons des États du Sud, répondit-il en riant.

– Si je comprends bien, reprit un autre, il faut que, dès maintenant, nous cherchions un moyen de vous en faire sortir rapidement alors que vous allez vous mettre sciemment dans l'illégalité !

– C'est tout à fait cela. Il y a une marche organisée demain, je crois bien que je ne pourrai pas la terminer! À vous de jouer!

Les avocats discutèrent entre eux, déconcertés par l'aplomb du pasteur. Transgresser cet ordre soulevait des problèmes juridiques insolubles. Tout l'après-midi, July et moi feuilletâmes des ouvrages de loi, pendant que nos chefs téléphonaient à des confrères. Le soir, nous n'avions trouvé aucune solution.

– Eh bien, il ira en prison, finit par conclure July. Et l'on verra à ce moment-là!

– Et si nous n'arrivons pas à le faire sortir? l'interrogeai-je. Le projet C tombera à l'eau!

– D'abord, il n'est pas tout seul. Nous sommes là. Et puis, on le fera sortir par n'importe quel moyen, par la force s'il le faut! dit-elle en éclatant de rire. Aux grands maux les grands remèdes! Les Blancs cherchent l'affrontement; cette fois-ci, ils vont réellement nous trouver.

Je la jugeais très confiante, mais surtout très inconsciente. Elle n'avait pas l'expérience des geôles du Sud, cela se voyait! Cependant, j'admirais cette foi aveugle qu'elle mettait dans notre mouvement. July me bluffait par son aplomb.

La réaction du tribunal ne se fit pas attendre. Dès le début de la manifestation, Martin Luther

King et quelques autres furent emmenés en prison. Seul dans une cellule, totalement isolé de l'extérieur car il n'avait pas le droit de téléphoner à sa famille, le pasteur était soumis à un traitement particulièrement sévère. Le juge espérait qu'il allait, ainsi, se plier aux lois de l'Alabama. Coretta King, prévenue par les avocats, téléphona au ministère de la Justice. Elle eut en personne Robert Kennedy, frère du président. Le gouvernement regardait d'un mauvais œil les remous qui agitaient le Sud et intervint pour que le pasteur puisse téléphoner à sa femme. Dès le lendemain, il fut autorisé à recevoir des visites. J'étais chargé de lui apporter les journaux et il m'accueillit joyeusement.

– Je ne sais pas si j'aurais tenu longtemps dans ces conditions ! Je ne supporte pas d'être seul, de n'avoir personne à qui parler. Je tourne en rond dans ma cellule et… et dans ma tête ! Mais tu es là ! Alors, quoi de neuf en ville ?

– De notre côté, cela bouge très, très lentement. Toujours trop peu de monde dans la rue. Par contre, lisez cet article, les Blancs se déchaînent contre nous, même ceux que l'on croyait être des partisans. Il y a même certains ecclésiastiques qui ne se gênent pas pour nous démolir.

Il parcourut attentivement l'article. Au fur et à mesure de sa lecture, il fronçait les sourcils, émaillant le silence de quelques « ce n'est pas possible », « ils vont me le payer ».

Je ne l'avais jamais vu en colère. Il arpentait les quelques mètres carrés de sa cellule, en tapant rageusement du poing sur les murs.

– Je dois répondre à ces pasteurs blancs. De quel droit me critiquent-ils aujourd'hui, alors qu'ils nous soutenaient il y a quelques mois ? Agitateur, fauteur de troubles, voilà de quoi ils me traitent. Ah, ça ne les dérange pas de retourner leur veste ! Tu te rends compte, ils m'accusent de mettre la ville en danger. Mais de quel côté est le danger ? Trouve-moi du papier ! Il faut que je les remette à leur place.

Quand je rapportai notre conversation à July, celle-ci se frotta les mains avec satisfaction.

– Il va les moucher, c'est sûr ! Et peut-être que cela va accélérer le mouvement. Car il faut absolument trouver le moyen d'avancer.

Elle trépignait sur place. J'étais curieux d'en savoir un peu plus.

– Tu es si pressée que cela de te battre ?

– Oui, parce que, jusqu'à présent, j'ai été plutôt spectatrice.

– Qu'est-ce qui t'a empêchée de t'engager plus tôt ?

– Mon éducation, je suppose. Mes parents ont toujours été archiprotecteurs. Comme fille unique, il ne fallait pas que je fasse de vagues. L'année dernière, quand je me suis inscrite au SNCC, ils n'étaient pas vraiment d'accord. Alors quand je leur ai annoncé que je venais à Birmingham pour travailler avec Martin Luther King... Pfff! J'ai eu droit à une scène! Tout juste si je ne les poignardais pas dans le dos.

– Mais... Ils sont contre?

– Non, bien sûr que non. Comme tout le monde, ils ont hâte que les choses bougent, mais ils ne militent pas. Toujours l'angoisse des représailles. Tu sais, mes grands-parents ont été lynchés car ils avaient été accusés, à tort, d'avoir volé un sac de blé. C'était il y a quarante ans mais on ne peut pas dire que la situation a vraiment changé...

Nos histoires décidément se rejoignaient toujours. Je lui relatai, en évitant certains détails, celle de ma famille. Elle resta quelques instants sans voix, puis me serra dans ses bras. Je frissonnai.

– Je dois t'avouer que j'ai entendu un peu parler de toi dans des réunions d'étudiants. Un jour, Martin Luther King nous a raconté un bout de ton histoire. Sam ceci, Sam cela. Il a aussi retracé ce qu'ont vécu tes copains, lors du voyage de la liberté. Visiblement, il attend beaucoup de toi. Tu vois, je te connaissais avant même que l'on se rencontre !

J'étais très gêné. Ainsi, je n'étais pas un total inconnu pour elle, et elle s'était bien gardée d'y faire allusion. Mais de mon côté, cette conversation m'avait permis de mieux la comprendre.

– Pourquoi ne m'as-tu rien dit jusqu'ici ?

– Oh, disons que j'attendais le bon moment. Et il est venu ! Allez, dépêche-toi, retourne là-bas lui porter ces papiers.

Je patientai dans la cellule, assis sur son lit. Il rédigeait sans une rature une longue réponse, marmonnant à voix haute certaines phrases.

– Tiens, c'est une lettre ouverte aux Blancs. Je l'ai intitulée *Lettre de la prison de Birmingham*. Débrouille-toi pour la faire paraître.

J'admirais sa capacité à rebondir : jamais il ne se laissait abattre. Mais où trouvait-il cette énergie ?

J'attendis d'être dehors pour la lire. Les mots étaient soigneusement choisis, percutants, ciselés pour mieux frapper. Il présentait la non-violence comme un outil politique, la seule parole des Noirs, l'unique moyen d'expression de notre communauté. Je notai un passage que je comptais utiliser pour mon mémoire : « Je ne crains pas l'issue de notre lutte à Birmingham et dans tout le pays, parce que le but de l'Amérique, c'est la liberté. Si maltraités et méprisés que nous soyons, notre destin est lié à celui de l'Amérique… »

July la lut et relut puis m'annonça :

– C'est exactement ce que j'aurais aimé écrire.

– Et moi donc ! Écoute, cela m'a donné à réfléchir. Ce n'est pas parce qu'il est en prison qu'on doit attendre et ne rien faire. Tu as raison. Secouons la population, continuons les manifestations !

– Oui, Martin Luther King est enfermé et les Noirs ne disent rien, répliqua-t-elle, amère. Il y a des jours où je me sens découragée. Autant remuer des zombies !

– Je sais, mais je pense avoir une idée.

Je retrouvais mon enthousiasme. Cet homme, père de jeunes enfants, nous donnait l'exemple. Il n'hésitait pas à mettre sa vie en danger pour notre cause. Nous nous mîmes vite d'accord, July et moi, pour laisser tomber notre travail avec les avocats pendant quelques jours. Tout juste s'ils s'aperçurent de notre absence, trop occupés à tenter de faire sortir Martin Luther King de prison.

1963 – Birmingham

Dès le lendemain, j'allai avec July traîner dans les lycées et les collèges de la ville. Les jeunes et les enfants étaient très attentifs à ce que je leur racontais et je les recrutai pour les prochaines manifestations. July les rassurait en affirmant qu'aucun des manifestants n'aurait d'armes sur lui. Il ne s'agissait pas de chercher la bagarre. La plupart d'entre eux nous faisaient confiance.

– Tu comprends, les mômes ne risquent pas de perdre leur emploi. Regarde, chaque fois que nous leur demandons de parler à leurs parents pour les persuader de venir, ils le font. C'est à peine croyable, mais ils n'ont peur de rien. Ils sont prêts à descendre dans la rue, avec ou sans leur famille! constatai-je. Tu les as peut-être ensorcelés?

– Ne dis pas de bêtises! Ils sont simplement comme nous, ils en ont assez et ne demandent qu'à bouger. Il faut espérer qu'ils trouvent les bons arguments auprès de leurs proches! On va pouvoir organiser sans attendre une marche, même si le pasteur n'est pas libéré. Lui montrer que nous le soutenons, qu'il n'est pas tout seul à prendre des décisions. La relève est là! claironna July.

Il ne fallait pas agir dans l'urgence. Je calmai son ardeur:

– Avant de faire quoi que ce soit, finissons de distribuer des tracts dans les écoles de la ville. Pour être sûrs de toucher tout le monde. Ensuite, nous aviserons.

Je la regardais faire, discuter avec les collégiens, défendre notre cause. Elle avait une façon très particulière de pencher la tête sur son épaule, comme pour mieux écouter. Quand un jeune lycéen la prit dans ses bras pour l'embrasser sur la joue, mon cœur s'affola. J'étais jaloux!

Martin Luther King sortit de prison le 1er mai, veille du rassemblement que l'on avait organisé depuis une semaine avec les membres de la SCLC. Il tiqua un peu quand je lui appris que des enfants devaient descendre dans la rue.

– Qui a pris l'initiative?

– Cela vient de moi. Mais nous sommes tous d'accord. Il y a si peu de monde qui nous suit, argumentai-je. C'est un bel exemple, non?

– Mais les parents ? Ils peuvent refuser de laisser leurs enfants prendre ce risque. Et d'ailleurs, je n'aime pas l'idée qu'ils puissent courir le moindre danger.

– Nous les encadrerons sérieusement. De toute façon, nous verrons bien, ils ont l'air réellement motivés.

Le lendemain, à midi, les jeunes quittèrent leurs établissements. Par groupe de cinquante, ils marchaient vers la mairie en chantant, en frappant des mains. C'était joyeux, une sorte de grande farandole qui égayait les rues du centre-ville. J'avais averti des journalistes de la presse locale pour qu'ils couvrent l'événement.

La réaction des autorités fut immédiate : au fur et à mesure que les groupes avançaient, ils étaient immédiatement arrêtés et jetés dans des fourgons. Lorsque ceux-ci étaient pleins, des bus de ramassage scolaire se chargeaient des autres manifestants. Le soir, le bilan était lourd : plus de cinq cents collégiens étaient en prison.

Martin Luther King organisa une réunion.

– J'ai bien l'impression qu'un bras de fer a commencé. La police nous nargue, elle pense certainement que nous allons céder. Laisser des enfants aller en prison ! J'ai l'impression de les y avoir enfermés moi-même. C'est comme si les miens y étaient!

Il paraissait accablé. Je lui montrai les quotidiens.

– Nous faisons encore les gros titres. À l'unanimité, ils nous soutiennent. L'un d'entre eux a même écrit: « Les Blancs, voleurs d'enfants ». Voilà la preuve que notre démarche est sûrement la bonne, argumentai-je. Le courage de ces jeunes émeut l'opinion publique.

Il céda:

– Alors, nous recommencerons. Demain. Et chaque jour s'il le faut. Mais l'Amérique doit et va réagir.

Cette nuit-là, je pensai à tous ces adolescents qui nous avaient aveuglément suivis, à ceux dont les parents n'avaient pas pu payer la caution et qui croupissaient dans une cellule jusqu'à ce qu'ils puissent réunir l'argent. Je me sentais, moi aussi, responsable de ce qui pouvait leur arriver.

À Birmingham, la population noire craignait Eugene Bull Connor plus que l'enfer! Il méritait son surnom de chien d'attaque, le bulldog. L'agressivité déformait ses traits et, quand il parlait, ses mots avaient la dureté d'un aboiement rauque. Lorsque notre rassemblement arriva non loin d'une église, des pompiers munis de lances à incendie, un rempart de policiers avec leurs chiens nous attendaient, menaçants. Notre cortège, avec près d'un millier d'enfants, se déployait sur plusieurs centaines de mètres. Nos voix s'harmonisaient dans une même phrase : « Nous voulons la liberté. » Des passants nous observaient, prêts à déguerpir au moindre mouvement de foule. Puis quelques téméraires hurlèrent des insultes aux policiers, lançant des canettes de soda sur les pompiers. Le visage de Bull Connor se durcissait de minute en minute. Je tenais fermement July par la main, il ne fallait pas flancher.

– Reculez immédiatement ! hurla le chef de la police.

– Avancez ! cria Martin Luther King en retour. Gardez votre calme.

– Dispersez-vous ou je lâche les chiens, menaça Connor.

Il y eut quelques remous parmi les jeunes. Certains firent mine de partir, terrifiés par la violence qui s'annonçait.

– Qu'est-ce qu'on fait ? entendit-on dans les rangs.

– Il est fou, il va nous charger !

– Continuez, n'ayez pas peur, m'époumonai-je.

Bull Connor donna un ordre bref à son équipe. Les chiens, dressés à mordre les Noirs, attaquèrent, plantant leurs crocs dans les jambes des manifestants, les maintenant à terre. Des sommations hurlées par les policiers couvraient les cris de panique de la population. Puis les pompiers visèrent la foule des enfants et balayèrent notre troupe avec leurs puissantes lances à incendie. Certains petits, plus légers que des flocons, furent soulevés par les jets d'eau et retombèrent lourdement sur le sol. D'autres, au contraire, furent collés contre le bitume par un geyser en flux continu. Je courais éperdument de l'un à l'autre, tentant de les relever, chaque fois rabattus par un nouveau jet. Sous une pluie déchaînée par les lances, je vis July prendre deux enfants par la main et partir se protéger en direction de l'église. Des jeunes ensanglantés se traînaient par terre, s'agglutinant en grappes pour faire bouclier aux plus faibles.

Bull Connor vociférait :

– Regardez tous ces Négros détaler comme des lapins.

Les pompiers continuèrent leur sinistre mission, sans s'interrompre, sans s'émouvoir, jusqu'à ce que la rue soit vide. Seules quelques traînées sanglantes sur la chaussée, des chaussures perdues dans la panique, un ou deux chapeaux piétinés dénonçaient le drame.

Une demi-heure plus tard, plus aucun Noir n'osait s'approcher du quartier. La police était toujours là, veillant à ce que personne ne revienne. La plupart des manifestants s'étaient réfugiés dans l'église. Des blessés, cachés sous des porches ou derrière des voitures, étaient secourus par des ambulanciers et transportés vers divers hôpitaux.

Je cherchai July partout, m'inquiétant de ne pas la voir. Je la trouvai dans le parc, deux enfants lovés contre elle, sanglotant de terreur.

– C'est horrible, cet homme est un monstre !

Je tentai de la calmer.

– Il faut arrêter, tout de suite, cette tuerie, reprit-elle.

– C'est ce qu'ils attendent, tu le sais bien.

– On ne va pas recommencer ! On ne peut pas exposer ces jeunes à ces sauvages !

– Si, je crois bien que si.

J'avais également peur de la réaction du pasteur. Comment allait-il se positionner face à la violence infligée à des enfants ? Il avait convoqué, le soir même, les manifestants à assister à un meeting. Je fus vite rassuré. D'une voix pleine de colère, il annonça la reprise des marches le lendemain :

– Ce que nous avons vécu aujourd'hui est inadmissible. Pas question de baisser les bras devant leur cruauté, ce serait leur donner raison. Nous n'abandonnerons pas notre campagne. Ils doivent maintenant nous entendre. Et, surtout, que la police libère les enfants ! Voilà pourquoi nous allons, encore et encore, descendre dans la rue !

Ce soir-là, j'étais tellement retourné que je n'avais pas envie de rester seul dans ma chambre. Mon corps était douloureux comme s'il avait été roué de coups. Les yeux de July brillaient de larmes. Elle serrait les poings, l'air égaré. Mais aucun de nous deux ne parvenait à parler de cette effroyable journée. Elle se coula entre mes bras et murmura :

– Reste avec moi. J'ai peur de la nuit, j'ai peur de ces visages que je n'arrive pas à oublier.

Agrippés l'un à l'autre, nous nous glissâmes dans son lit. Nos longues caresses effacèrent peu à peu le fleuve d'images cauchemardesques qui nous obsédaient. Nous fîmes l'amour avec douceur, comme pour écraser la violence du jour. July me souriait, plongeant son regard perdu dans le mien, s'accrochant à la tendresse que je lui donnais.

Dans les jours qui suivirent, nous ne lâchâmes pas prise, reprenant nos marches tous les jours. Les médias couvraient ces événements et ne se gênaient pas pour traiter Bull Connor de chien enragé. Le pays tout entier blâmait les autorités de Birmingham, écœuré par leur barbarie. Les commerçants de la ville étaient étranglés, de moins en moins de clients osaient flâner dans les rues.

Le président Kennedy se manifesta, enfin! Il ne pouvait pas rester insensible au sort des enfants. Il avait envoyé à Birmingham un médiateur du gouvernement, Burke Marshall, chargé de négocier avec les deux parties. Je ne fus pas surpris lorsque j'appris que les représentants de la ville refusaient de traiter avec les Noirs. Nous étions dans une impasse.

Une des dernières manifestations eut raison du chef de la police. Nous avions décidé de nous rendre vers la prison, qui détenait encore de nombreux manifestants. En tête du cortège, Martin Luther King et d'autres pasteurs qui avaient rejoint le mouvement entraînaient dans leur sillage, une fois de plus, une multitude de jeunes. Avec July, nous nous tenions au plus près de ces adolescents déterminés à avancer coûte que coûte. Comme toujours, Bull Connor avait placé ses policiers et leurs chiens en un long cordon provocateur, empêchant l'accès à la rue.

– Servez-vous des lances! Tout de suite! Actionnez-les, cracha-t-il dans un porte-voix.

– Ne reculez pas! encouragea Martin Luther King. Restez groupés!

En disant cela, il s'agenouilla. Sans se concerter, tout le premier rang l'imita et pria. Une prière du cœur, dite à voix forte, couvrait les beuglements de Bull Connor et les aboiements des chiens. Les uns après les autres, nous nous inclinâmes, joignant nos voix aux leurs. Lorsque nous nous relevâmes, nous continuâmes à marcher sans faiblir vers les policiers. Aucune parole ne fut prononcée, mais je ressentais profondément la détermination des manifestants. July me sourit, relevant la tête d'un air bravache.

Ils nous mirent en joue un long moment, puis baissèrent leurs fusils. Les pompiers laissèrent leurs lances à incendie à terre et, après un instant d'hésitation, retournèrent vers leurs voitures, laissant passer le cortège. Les gens défilèrent devant un Bull Connor blême de rage qui continuait à s'égosiller, en vain, sur ses troupes. Nous avions tenu tête au chef de la police, l'obligeant à s'incliner.

Jusqu'au dernier moment, j'eus du mal à y croire. Pourtant, ce qui me semblait tellement improbable arriva. Des élus de Birmingham rencontrèrent une délégation de notre communauté conduite par Martin Luther King. Il me demanda de l'accompagner. Les discussions furent âpres mais, au bout de quelques heures, un traité fut conclu. Les pancartes racistes devaient être retirées des lieux publics et les patrons s'engageaient à discuter avec leurs employés noirs de leur formation professionnelle, des améliorations à apporter dans leur travail. Une politique d'embauche allait être proposée aux salariés. Malgré tout, les mentalités racistes du Sud avaient la peau dure. Le changement se mettait lentement en place.

Au mois de mai, Kennedy annonça qu'il soutenait cet accord.

– C'est déjà bien mais pas suffisant. Ce sont les lois Jim Crow qui doivent être supprimées, souligna Martin Luther King lors de notre dernière réunion. Et c'est à son gouvernement de le faire. On ne peut pas se contenter de cela. Il faut attaquer encore plus fort. Et vite !

Il avait totalement raison.

– Cela fait quelque temps que je pense à organiser une marche sur Washington* où tous les Noirs et tous les Blancs du pays se rassembleraient contre la ségrégation. Je souhaite monter une action d'ampleur nationale. Rapidement, d'ici deux à trois mois.

Un soir, alors que July regardait la télévision chez notre logeuse, elle m'appela :

– Sam, Sam, viens vite voir.

Je m'attendais à voir une fois de plus des images d'une émeute raciale dans une ville du Sud. Je fus

*Washington : capitale des États-Unis.

159

surpris d'entendre Kennedy, face à la caméra, répondre aux questions des journalistes :

– Oui, il est temps de tenir nos promesses. Les événements de Birmingham poussent notre pays vers l'égalité. À nous d'accompagner ce changement dans la paix…

July fit un bond de joie.

– Tu vois, ça a payé ! Le Congrès va discuter la loi sur les droits civiques.

Deux jours plus tard, je rentrai à Greensboro. July et moi avions beaucoup de mal à nous séparer. Elle me manquait déjà, avant même de l'avoir quittée.

– Tu ne m'oublieras pas ? me demanda-t-elle, devançant ma question. Entre tes copains et tes cours…

– Et toi ? Quelle tête vont faire tes parents quand ils vont apprendre que, en plus de participer à des manifestations dangereuses, tu as fait la connaissance d'un militant ? Et qui a des idées subversives !

Elle sourit, amusée.

– Je m'en charge et ils n'auront pas grand-chose à redire. La petite fille modèle devient une rebelle. Ah, cela va être dur à avaler !

Ses parents l'attendaient avec impatience. Ils lui avaient téléphoné toutes les semaines, la suppliant de rentrer.

– Ils ont entendu des reportages à la radio, lu les journaux. Chaque fois, je suis obligée de leur expliquer qu'il n'y a pas de méchants Blancs cachés avec un gourdin à chaque coin de rue!

Sous leur pression, July avait capitulé. Nous aurions voulu prolonger notre séjour d'une semaine, passer du temps ensemble, à nous aimer, à discuter, à faire connaissance. J'étais déçu par sa décision mais j'évitais de le lui montrer car elle était déjà très remontée contre ses parents.

– Il faut qu'ils me laissent vivre, maintenant! Ils cherchent à me culpabiliser. Je vais leur parler sérieusement. Je ne vais pas faire ma vie avec eux. Il faut qu'ils comprennent bien ça!

Je n'allais pas en rajouter. Mais en la quittant sur le quai de la gare, j'avais les larmes aux yeux. Elle se blottit contre mon épaule, et me murmura:

– Je t'aime tant!

Je l'embrassai jusqu'à ce que le train démarre. Seule la raison m'aida à tenir le coup. Il fallait que je travaille mon mémoire durant les mois de juin et juillet. Je voulais le présenter en septembre.

1963 / 1964 – L'année de mes vingt et un, vingt-deux ans

Mon train arriva en début de soirée. J'avais le cœur en écharpe. J'avais à peine poussé la porte de l'appartement que mes amis m'assaillaient déjà de questions.

– Hé, laissez-moi poser ma valise! Promis, vous aurez tous les détails.

Mais je n'avais qu'une envie: savoir si July était bien arrivée à La Nouvelle-Orléans. Mes copains n'étaient pas au courant de notre liaison, je comptais garder le secret encore quelque temps. Comment leur parler d'elle sans craquer? C'était trop dur de l'avoir laissée. Hugh sentit ma tristesse.

– Tu n'as pas l'air content de nous revoir. Tu as un problème?

– Mais non, c'est juste l'émotion d'être parmi vous!

Pour fêter mon retour, ils avaient débouché une bouteille de champagne. Du Dom Pérignon.

– Et tu vas voir la suite! Un repas qui rivalisera avec les meilleurs cuisiniers de France, annonça Hugh. On s'est mis en cuisine en début d'après-midi. Allez, à ta santé et à celle de tous les Noirs d'Amérique.

– Sais-tu que j'ai pensé un moment te rejoindre? me dit Jim. Mais je n'ai pas eu le courage. La peur de la violence, j'ai encore du mal à oublier mon voyage en autobus!

John le réconforta:

– À chacun son tour! Ne regrette pas, Sam nous a dignement représentés. Alors, on a bien fait de te pousser, hein? se moqua-t-il.

– Pour une fois, vous avez eu raison, répliquai-je sur le même ton.

J'avais l'impression de les avoir quittés la veille. Je répondais de bonne grâce à leurs questions, et Jim laissa couler quelques larmes quand je racontai les manifestations sanglantes avec les enfants.

Comme je vantais le courage de Martin Luther King, ils m'ont charrié un peu.

– Ben dis donc, c'est un vrai dieu pour toi! À ton avis, il n'a aucun défaut? a demandé Tim. Tu ne crois pas que tu exagères un peu?

Je savais que je n'étais pas toujours très objectif.

– Oui, oui, je vous l'accorde. Mais si je ne l'avais pas rencontré, allez savoir ce que je serais devenu. Avouez quand même que c'est un homme exceptionnel!

– Oh là là, a rigolé Hugh, ne sois pas susceptible. Tu n'as pas compris que nous sommes simplement jaloux! Tout le monde sait qu'il compte de plus en plus sur toi.

Je réussis à m'éclipser en fin de soirée pour téléphoner à July.

– Ce voyage a été épouvantable, chuchota-t-elle dans le combiné. Je n'ai pas cessé de penser à toi. Et je ne pense pas survivre à ton absence, ajouta-t-elle.

– Et moi j'ai l'impression de ne pas être au bon endroit! Je regrette d'être parti, si tu savais! J'aurais dû te retenir de force une semaine de plus!

– Je vais rayer les jours sur le calendrier, comme si j'étais en prison, jusqu'à ce qu'on se revoie. Alors, à quand? conclut-elle.

Nous décidâmes qu'elle viendrait passer un week-end à Greensboro le plus tôt possible. Nous passions de longues heures à nous téléphoner, en attendant le moment de nous retrouver.

– J'ai besoin de te voir, m'a-t-elle dit, besoin de reparler avec toi des événements de Birmingham. Et puis, j'ai des projets. Il faut qu'on en discute. J'ai hâte de venir!

– Et moi, je ne pense qu'à une chose : te serrer dans mes bras !

– J'en rêve tous les jours ! Je viendrai fin août, m'a-t-elle promis. Tu sais, j'ai parlé de toi à mes parents. Enfin, juste ce qu'il faut pour qu'ils s'habituent petit à petit à l'idée que je vais un jour les quitter.

– Et comment ils ont réagi ?

– Ma mère se doutait de quelque chose, elle me connaît si bien. Quant à mon père, il attend de te rencontrer. Et, a-t-elle ajouté malicieusement, il va falloir faire vite si je veux venir à Greensboro pour ma dernière année de fac.

J'ai eu un hoquet de joie. C'était tout à fait elle de prendre une décision rapide et de l'annoncer d'une manière directe. J'y avais bien pensé mais je n'avais pas encore osé lui en parler !

– J'ai compris ce qu'il me reste à faire. Préparer mes amis et ma famille à ta venue !

– Surtout, ne leur dis pas trop de mal de moi, a-t-elle pouffé. Laisse-leur la surprise !

Je ne tardai pas à aller rendre visite à oncle Albert et tante Rosa. Ils m'attendaient avec impatience. Ils avaient retrouvé un peu le sourire et m'accueillirent avec beaucoup d'émotion.

– Nous avons écouté la radio tous les jours. Je peux t'avouer que j'ai eu très peur pour toi ! dit tante Rosa.

– Allons, continua oncle Albert, Sam n'allait pas prendre de risques inutiles, tu le sais bien.

Il me fit un clin d'œil. Je compris qu'il ne fallait pas tout raconter à ma tante. Elle était trop fragile. Je leur parlai longuement de tout le travail que j'avais fait aux côtés de Martin Luther King. Tante Rosa n'en perdait pas une miette.

– Quand je pense que c'est grâce à moi que tu l'as rencontré!

– Je ne l'oublie pas, ne t'inquiète pas.

– Et maintenant, tu vas reprendre ton mémoire, j'espère? m'interrogea oncle Albert.

– Plus que jamais! Sans compter que j'ai une grande nouvelle à vous annoncer.

Ils eurent un regard de connivence.

– Je crois bien que l'on a deviné, s'amusa tante Rosa. Il suffit de te regarder, tu es amoureux!

Le week-end à Greensboro avec July n'eut jamais lieu. Un immense rassemblement fut organisé à Washington pour le 28 août. Plusieurs leaders devaient intervenir à la tribune. Martin Luther King déclara à la radio que cette manifestation serait, avant tout, une marche pour la liberté.

– J'ai la ferme intention de faire pression sur le gouvernement Kennedy, me confia-t-il au télé-phone. Ils ne peuvent plus reculer, cette loi sur les droits civiques doit être absolument votée et demandée par tous les Américains. Plus nous serons nombreux, plus nous nous ferons entendre. J'espère que les Blancs qui nous soutiennent seront là. Je compte vraiment sur eux. Nous deux, on tâchera de se croiser, enfin si je trouve le temps. July sera avec toi?

Pour lui, cela ne faisait aucun doute que nous étions ensemble. Il nous avait vus vivre à Birmingham!

– Oui, elle et mes amis. Pas question de rater cela.

La veille de notre départ pour Washington, je leur avouai que j'étais très amoureux.

– On te soupçonnait de nous cacher quelque chose, me dit Jim.

– Vous aviez remarqué? Comment?

– Simplement à cause de tes coups de téléphone qui duraient des heures. Et puis, tu t'enfermais dans ta chambre, renchérit Hugh.

– Et l'on se doutait bien que tu n'appelais pas ta tante! termina John.

– Mais c'est fabuleux! Comment est-elle? reprit Jim.

– Elle est... Elle est belle, intelligente, piquante... Enfin, vous verrez. Je risque de ne pas être très objectif! Après, vous allez dire que j'exagère.

– Quel poète! s'exclama John. Apparemment,

tu as trouvé la femme qu'il te fallait!

— Et elle t'aime? demanda Jim, innocemment.

— Tu le lui demanderas, répondis-je en riant. Mais oui, je crois bien que oui...

July et moi nous étions donné rendez-vous dans une pension de famille, dans les faubourgs de la ville. Cela avait été difficile de trouver de la place, les hôtels étaient tous réservés.

July fut immédiatement adoptée par mes amis. Sans aucune gêne, ils bavardèrent comme s'ils se connaissaient depuis toujours.

— Veinard! me glissa Jim à l'oreille. Je regretterais presque de ne pas avoir été à Birmingham à ta place!

Nous partîmes tous les six vers le mémorial Abraham Lincoln, lieu du rendez-vous. La chaleur étouffante de fin d'été nous collait à la peau. De toute part des manifestants affluaient. Certains s'étaient levés très tôt pour venir à pied jusqu'à Washington.

Deux cent cinquante mille personnes arpentaient les rues avoisinantes en attendant le début du meeting. Les gens me paraissaient heureux et détendus, comme animés par une même énergie.

Comme l'avait souhaité Martin Luther King, beaucoup de Blancs avaient répondu à son appel et se mêlaient à nous, leurs enfants juchés sur leurs épaules. Certaines personnes plus âgées avaient emporté avec elles des chaises pliantes pour mieux supporter l'attente. Des vendeurs de hot dogs et de frites se coulaient dans la foule. Des groupes se formaient, discutant avec animation en attendant les discours. De temps en temps, des negro spirituals s'élevaient spontanément. L'attente se déroulait dans le plus grand calme.

Quand les premiers orateurs montèrent à la tribune, le public se rassembla au plus près d'eux. Ils étaient acclamés les uns après les autres et leurs paroles étaient ponctuées du même cri : « Liberté ! Liberté ! »

Les chaînes de télévision inondaient en direct les foyers américains de ces images. Certaines émissions avaient été interrompues tant l'événement avait pris très vite une dimension nationale.

Martin Luther King devait clore la journée. Nous l'attendions avec une impatience non dissimulée, son nom roulait dans la foule. Quand il monta sur le podium, on entendit encore quelques murmures puis un grand silence s'imposa. Il laissa ses papiers de côté, prit une profonde inspiration et adressa au monde entier une vibrante profession de foi qui allait rester dans toutes les mémoires, ébranler des générations qui en feraient le symbole de la lutte pour la liberté.

– *Je suis heureux de participer avec vous aujourd'hui à ce rassemblement qui restera dans l'histoire comme la plus grande manifestation que notre pays ait connue en faveur de la liberté.* [...]

Il n'y aura plus ni repos, ni tranquillité en Amérique tant que le Noir n'aura pas obtenu ses droits de citoyen. Les tourbillons de la révolte continueront d'ébranler les fondations de notre nation jusqu'au jour où naîtra l'aube brillante de la justice. [...]

Les militants noirs, subjugués, laissaient couler leurs larmes comme une délivrance.

– [...] *Comme l'atteste leur présence aujourd'hui en ce lieu, nombre de nos frères de race ont compris que leur destinée est liée à notre destinée.* [...]

Des hommes blancs prenaient naturellement les mains de leurs voisins de couleur. Leurs visages souriaient, accueillaient celui de l'autre.

– [...] *Je rêve que, un jour, sur les rouges collines de Georgie, les fils des anciens esclaves et les fils des anciens propriétaires d'esclaves pourront s'asseoir ensemble à la table de la fraternité... Je rêve que mes quatre jeunes enfants vivront un jour dans un pays où on ne les jugera pas à la couleur de leur peau mais à la nature de leur caractère. Je fais un rêve aujourd'hui!* [...]

Blancs et Noirs, dans un même mouvement,

firent le signe de la liberté en répétant à l'unisson: *Je fais un rêve !* Martin Luther King fut longuement ovationné et, lorsqu'une petite fille blanche et une enfant noire montèrent sur le podium pour lui remettre un bouquet de fleurs, il s'agenouilla et les serra fort dans ses bras.

Ce jour-là, les Noirs d'Amérique, soutenus par la solidarité des Blancs, avaient exprimé haut et fort leur foi en la justice humaine. C'était la preuve vivante que les Américains avaient évolué et que nous avions eu raison d'organiser des boycotts et des manifestations.

La foule s'éparpilla lentement. Les gens n'avaient pas envie de se quitter. Ici et là, des jeunes, bras dessus bras dessous, clamaient le mot « liberté ». D'autres commentaient sans fin le discours de Martin Luther King.

Nous étions trop excités pour dormir. La ville bruissait encore des échos de cette journée. Assis sur le rebord de la fenêtre, éclairés par la pleine lune, July et moi avons discuté jusqu'à une heure avancée de la nuit. Nous étions heureux de partager à nouveau les moments décisifs de l'histoire de notre lutte.

– À ton avis, comment va réagir le gouvernement ? m'interrogea-t-elle.

– J'espère que l'opinion publique et la force de cette marche pèseront sur les décisions de Kennedy.

Il a fait une promesse, il doit la tenir.

– Martin Luther King s'impose de plus en plus. Son discours ne peut pas laisser insensible, affirma-t-elle.

– Oui, mais tu sais que certains Noirs le désapprouvent. Ils le soupçonnent de trahison, de se faire manipuler par les dirigeants blancs.

– Quelle bande d'idiots! De quel droit peuvent-ils dire des choses pareilles! s'insurgea July.

– Ils réagissent sans réfléchir. Uniquement parce qu'il a des contacts avec la Maison-Blanche et qu'il condamne les organisations noires qui appellent au combat et à la violence envers les Blancs.

– C'est évident, on s'expose quand on est sur le devant de la scène!

Je changeai de sujet:

– July, que comptes-tu faire réellement, maintenant? Il faut qu'on en parle sérieusement.

– Comme prévu, je rentre à La Nouvelle-Orléans préparer mon déménagement pour Greensboro.

– Et ensuite?

– Eh bien toi, tu deviendras le premier juge noir des États-Unis et je défendrai mes clients à la barre devant un magistrat intègre et juste. Qu'en penses-tu?

– J'en pense que tu es en train de me dire que

nos vies vont être liées?

– Comme si tu pouvais en douter! Dis-toi une chose, monsieur le juge, je ne te laisserai pas me quitter plus de quinze jours! Sauf urgence!

Nous décidâmes que je l'accompagnerais à La Nouvelle-Orléans. Il était indispensable que je fasse connaissance avec ses parents avant d'entamer notre nouvelle vie. Nous louâmes un pick-up pour ramener quelques meubles et ses affaires. Nous risquions d'être un peu serrés dans l'appartement en attendant de trouver le nôtre.

– Ne sois pas surpris, me prévint-elle, mes parents sont des gens méfiants et un peu rigides. Alors, surtout, pas de gaffe. Je ne leur ai pas raconté la moitié de ce que nous avons vécu à Birmingham.

Je n'avais pas imaginé qu'elle vivait dans une telle aisance. Leur maison était assez spacieuse, à l'écart des quartiers chauds de La Nouvelle-Orléans. Manifestement, July n'avait jamais manqué de rien. Ses parents me firent un accueil poli mais distant. Ils m'observaient, me jaugeaient. Pas question de laisser filer leur fille unique avec n'importe qui!

Je répondis évasivement à certaines de leurs questions, laissant flotter les réponses pour leur permettre d'imaginer ce qui les arrangeait. Plusieurs regards de July me rappelèrent à l'ordre. Je préférai leur parler de mes études plutôt que de mes engagements politiques auprès de Martin Luther King. Celui-ci provoquait chez eux une certaine réserve.

– Ne va-t-il pas trop loin dans ses discours ? m'interrogea son père. Il va finir par se mettre vraiment le gouvernement à dos ! Je ne comprends pas comment July a pu s'enthousiasmer à ce point !

– Surtout, les enfants, continua sa mère, ce qui compte avant tout, ce sont vos études !

C'était un terrain glissant et je les approuvai sur la nécessité d'avoir nos diplômes en poche. July a mis fin à la conversation, prétextant ses cartons de déménagement à terminer. Je l'ai suivie dans sa chambre.

– J'ai eu du mal à leur faire accepter mon départ. En fait, ils ne comprennent pas que je puisse vivre avec un garçon sans être mariée. Alors, je leur ai fait du chantage : soit ils me laissaient partir, soit j'arrêtais d'aller en cours !

Je sautai sur l'occasion :

– Si ça peut leur faire plaisir, bien sûr que l'on se mariera !

– Tu ne manques pas d'air ! s'agaça-t-elle. Je m'en fiche de leur faire plaisir, mais toi ?

– Disons que je saisis la perche que tu me tends.

C'est ma façon de te le demander!

Elle me sourit tendrement.

– De toute manière, ce n'est pas dans nos priorités!

Nous repartîmes dès le lendemain matin. Je n'étais pas fâché qu'il y ait autant de distance entre eux et nous.

Nous décidâmes de nous installer ensemble. Nous trouvâmes assez vite un petit deux-pièces dans le centre de Greensboro. En plein mois de septembre, à peine installés et remis à nos études, une terrible nouvelle nous ébranla. Une bombe avait été posée dans une église d'un quartier de Birmingham, tuant quatre fillettes noires et blessant des dizaines d'enfants. La municipalité se moquait totalement des engagements qu'elle avait pris et, comme d'habitude, les élus se mettaient au-dessus des lois. La ville était au bord de l'émeute, plus rien ne pouvait l'empêcher de tomber dans une guerre civile. Des gangs de chaque communauté s'affrontaient à coups de couteau, les enfants se battaient dans les parcs et les rues, les insultes pleuvaient. Martin Luther King, accablé et déçu, avait envoyé un télégramme à Kennedy, lui demandant d'intervenir. Je me sentais de plus en plus amer.

– Franchement, confiai-je à July, nous avons été floués sur toute la ligne! Tout cela pour revenir au point de départ.

– Tu as raison! Il n'y a plus grand-chose à dire. Ils ont encore et toujours raison.

Nous n'étions pas loin de baisser les bras, écœurés par tous ces mensonges. Nous partîmes tous les six jusqu'à Birmingham pour l'enterrement des petites filles, à la fois atterrés et révoltés par la brutalité des hommes. Des gerbes de fleurs blanches s'amoncelaient sur leurs cercueils. L'émotion était à son comble. Le découragement aussi. Il nous semblait que jamais nous ne pourrions vraiment faire entendre nos voix.

Les réactions ne se firent pas attendre, il fallait un responsable. Et notre pasteur était tout trouvé. À la sortie de l'église, j'attrapai des bribes de conversation: on ne lui faisait grâce d'aucune critique, remettant en question sa position non violente face au déferlement agressif et brutal des Blancs. La plupart des Noirs lui reprochaient de ne pas prendre les armes.

Je repensai à Josh et à nos discussions animées. J'entendais encore sa voix cingler: « Tu vois, j'avais raison, il faut répondre encore plus fort à leurs coups. » Et si, depuis le début, mon frère avait été le plus lucide de nous deux, le plus sage? M'étais-je trompé radicalement?

Au mois de novembre, l'assassinat à Dallas de notre président mit fin à toute polémique. Le pays plongea dans l'hébétude, oubliant pour un temps les problèmes raciaux et toute autre forme d'activité politique. Ce jour-là, profondément triste, notre pasteur eut cette phrase: « *Voilà ce qui va m'arriver à moi aussi. Cette société est malade.* »

Nous étions consternés à l'idée que nous risquions de tout recommencer depuis le début. Le prochain président allait-il marcher dans les pas de Kennedy, tenter de faire enfin voter cette loi?

Comme la plupart des Noirs, j'attendais les résultats des élections avec impatience. Quand Johnson fut élu, nous avons tous ressenti un soulagement. Il avait appuyé le projet de Kennedy.

July et moi potassions avec acharnement, conscients qu'il fallait être les meilleurs si nous voulions intégrer les bonnes écoles où il y avait si peu d'élus, surtout parmi les Noirs. Je bouclai mon mémoire comme prévu. J'abordais la dernière année de droit avant de me présenter à l'école de magistrature. Comme moi, July se donnait à fond dans ses études. Elle comptait tenter le barreau l'année suivante et il n'était plus question pour le moment de militer.

– Je ne veux pas m'éparpiller, m'expliqua-t-elle. Je reprendrai plus tard mes activités politiques.

De mon côté, la direction du SNCC, la permanence au bureau avec ses séries de coups de télé-phone, sa ribambelle de paperasseries à gérer, me pre-naient de plus en plus de temps. Et aucun étudiant de Greensboro n'avait l'intention de prendre la relève.

Je croulais sous le travail, passant des nuits blanches le nez dans mes livres après avoir réglé pen-dant la journée les problèmes de l'association. Mal-gré l'aide de Tim et de Hugh, je n'arrivais plus à tout faire. Fatigué, j'étais fréquemment de mauvaise humeur, m'énervant pour un rien. Je m'endormais même parfois en plein cours. J'avais l'impression de survoler ma vie. À nouveau, un choix se présenta à moi et, cette fois-ci, je me promis de ne laisser per-sonne le faire à ma place. Il était d'ailleurs plus ou moins fait, je me sentais davantage l'âme d'un juge que celle d'un leader politique. July m'aida à y voir plus clair.

– Tu deviens impossible à vivre, sans cesse de mauvaise humeur, sans cesse fatigué. Ta vie tourne autour de la fac et de la permanence. Arrête de pen-ser que tu es indispensable! Prends la décision qui te semble la meilleure pour toi en ce moment. Tu n'as aucun reproche à te faire.

– Ce n'est pas aussi simple que tu le dis! J'ai quand même quelques remords!

– Des remords ou la frousse de l'annoncer? répli-qua-t-elle.

Je ne lui répondis pas.

– Et pourquoi il ne comprendrait pas ! Martin Luther King te met donc tant de pression ?

– J'ai simplement peur de le décevoir, lui avouai-je.

– Tu n'es pas le seul sur lequel il peut compter, avança July.

– Évidemment ! Mais il est persuadé que je lui succéderai un jour !

– En tout cas, moi, je pense que tu seras aussi efficace pour notre communauté le jour où tu seras juge que comme leader d'un parti ! Mais toi seul sais ce qui te convient.

Elle avait raison. Je ruminai, me cherchai de bonnes raisons et je laissai passer quelques jours avant d'oser prendre mon téléphone. Les mains moites, le cœur battant, j'affrontais un père pour la première fois de ma vie. Comme si je risquais de perdre son affection à tout jamais. Avais-je si peu confiance en lui ? Il ne cacha pas sa déception mais ne chercha pas à me faire changer d'avis. Il m'aimait comme un fils.

– Tu sais mieux que quiconque ce qui est juste pour toi. C'est vrai que j'espérais que tu deviennes petit à petit mon bras droit. J'ai une telle confiance en toi.

– Disons que j'ai besoin de prendre un peu de

distance le temps que je finisse mes études.

– Probablement, répondit-il pour m'apaiser. Ne t'inquiète pas, tu auras toujours ta place auprès de moi.

Je ne parvins pas à passer la main du jour au lendemain. Mais Tim et Hugh furent plus souvent présents à mes côtés en attendant la nomination d'un nouveau président à la tête du SNCC.

Je me sentais beaucoup plus léger. Sans aucun doute, j'avais pris la bonne décision.

Ce 2 juillet 1964, la radio bourdonnait dans notre petite cuisine. Nous ne prêtions qu'une oreille distraite aux informations. Puis des hurlements de joie ont couvert les paroles du commentateur. Johnson avait signé la loi sur les droits civiques* mettant définitivement fin à la ségrégation dans tous les lieux publics, interdisant tout racisme dans le monde du travail. Et les écoles blanches étaient priées de s'ouvrir aux Noirs!

Nous rejoignîmes dans la rue des dizaines de personnes qui jubilaient, s'embrassaient, se prenaient par le bras pour danser. Des cris de triomphe, des cantiques s'élevaient spontanément

---

*Civil Rights Act: voté le 20 juin 1964, signé par le président Johnson le 2 juillet 1964.

et nous entonnâmes plus d'une fois *We shall overcome*. Des lampions et des torches furent allumés jusque tard dans la nuit. J'étais sur un nuage. Ces dernières années de lutte prenaient enfin tout leur sens.

Au mois de décembre, Martin Luther King reçut le prix Nobel de la paix. La reconnaissance de toutes ces années de combat avec pour seule arme la non-violence.

Il accepta cette récompense en la partageant avec tous les militants. Pour lui, elle était le fruit du combat de toute la communauté, de toutes les associations. Nous étions si fiers de lui !

Nous étions tous les six réunis devant la télévision, émus de voir notre pasteur, une fois de plus, nous représenter. Quand il parla, July ne put retenir ses larmes.

– *J'accepte le prix Nobel de la paix au moment même où vingt-deux millions de Noirs américains sont engagés dans une bataille créatrice pour mettre fin à la longue nuit de la ségrégation* [...]. *J'accepte ce prix aujourd'hui avec une foi inébranlable dans l'Amérique* [...].

– Et moi en vous, Martin, murmurai-je.

Le lendemain, nous envoyâmes chez lui une gerbe de fleurs. Avec ce simple mot : « Merci ».

Épilogue – 2005

Tante Rosa vient de mourir, et avec elle s'est envolé le dernier regard qui m'a connu petit garçon. Je n'ai plus de raison de regarder en arrière, tous les êtres chers de mon enfance ont disparu.

Aussi, je relis mes cahiers et, lorsque j'aurai écrit ces dernières lignes, je les fermerai définitivement. Quand je les ai commencés à treize ans, je ne pensais pas qu'ils m'accompagneraient aussi longtemps. Si un jour ils sont lus par des enfants, quelle que soit leur nationalité, j'espère qu'ils se passionneront pour cette histoire. Pour que la lutte non violente de Martin Luther King serve d'exemple et ne tombe jamais dans l'oubli.

Avec le recul, je mesure combien cette rencontre a pu modeler notre vie. Dès notre nomination, moi comme juge et July comme avocate, nous avons été bien souvent sur le devant de la scène, mobilisant l'opinion publique pour mettre fin aux exécutions dans les prisons des États-Unis. July, lors de grands procès, a plus d'une fois fait parler d'elle. Bon nombre de ses accusés noirs finissent dans les couloirs de la mort, certains coupables, d'autres innocents. Mais jamais elle ne plie. Jusqu'au dernier moment, elle se bat pour obtenir un recours en grâce. Moi-même, au sein de la Cour suprême, je tente toujours de faire voter l'abolition de la peine de mort. J'ai été l'instigateur de la loi qui mit fin à l'exécution des mineurs.

Nos trois enfants ont été élevés dans le respect de l'autre. On peut dire qu'ils ont été bercés par nos histoires, notre guerre contre la ségrégation. Mais aucun d'entre eux n'a suivi notre voie. À chaque génération son histoire. Actuellement, l'égalité entre les races paraît acquise. Est-ce la réalité ? Notre lutte se perd-elle déjà dans les mémoires ? Parfois, je me demande si nous ne faisons pas figure de dinosaures !

Il me reste toutefois un grand regret. Martin Luther King est mort avant leur naissance et ils n'ont pas eu la chance de le connaître.

Je garde dans mon portefeuille une photo de lui, prise le jour de notre mariage, en 1967. Lors du repas, je lui avais demandé de s'asseoir à ma gauche. Visiblement, il ne s'attendait pas à être photographié. Le dos légèrement courbé, son regard flotte sur la table, son visage ruisselle de tristesse. À cette époque, il était surveillé par le FBI et jugé dangereux pour avoir pris parti contre la guerre du Vietnam. Certains militants lui tournaient le dos, lui reprochant de ne pas avoir en conscience assez tôt de la réalité des ghettos du Nord, de l'immense pauvreté qui les tuait aussi sûrement que la ségrégation. Cette ingratitude le blessait. Ces compagnons semblaient avoir oublié avec quelle obstination il avait mené les grandes manifestations, deux ans auparavant, qui avaient abouti à la loi sur le droit de vote des Noirs*.

Aujourd'hui, je regarde encore une fois cette image. Les bords du cliché sont un peu écornés, les couleurs sont passées, les traits de nos visages légèrement gommés. Je la glisse entre les pages de mon premier cahier. Il me reste tant de choses à faire.

---

* Voting Rights Act : signé par le président Johnson le 6 août 1965.

1er janvier 1863 : Lincoln émancipe les esclaves.

15 janvier 1929 : naissance de Martin Luther King, à Atlanta.

1er décembre 1955 : Rosa Parks refuse de laisser son siège à un homme blanc.

5 décembre 1955 : début du boycott des autobus à Montgomery.

Novembre 1956 : second mandat d'Eisenhower.

21 décembre 1956 : fin du boycott des autobus à Montgomery, fin de la ségrégation sur les lignes de la ville.

1958 : début de la croisade pour la citoyenneté.

8 novembre 1960 : Kennedy est président.

22 septembre 1961 : fin de la ségrégation dans les transports inter-États.

Mars-avril 1963 : début de la campagne de Birmingham.

28 août 1963 : marche sur Washington. Martin Luther King prononce son célèbre discours « I have a dream... ».

22 novembre 1963 : assassinat de Kennedy.

2 juillet 1964 : le président Johnson signe le Civil Rights Act (la ségrégation devient illégale aux États-Unis).

10 décembre 1964 : Martin Luther King reçoit le prix Nobel de la paix.

6 août 1965 : Johnson signe le Voting Rights Act (les Noirs obtiennent le droit de vote).

4 avril 1968 : assassinat de Martin Luther King à Memphis.

Loi n° 49-956 du 16 juillet 1949
sur les publications destinées à la jeunesse
Maquette couverture : Anne Catherine Boudet
PAO : Françoise Pham
Imprimé en Italie par L.E.G.O. Spa - Lavis (TN)
Dépôt légal : avril 2008
N° d'édition : 153870
ISBN : 978-2-07-061601-5